廣告副作用：藝文篇

（原《誠品副作用》增修版）

李欣頻 著

目次

E 【人．書．書展】

你未讀過的書。
你打開前已讀過的書。
如果你的命不只一條，必定會讀的書。
目前太貴，必須等到清倉拋售才讀的書。
可以向人家借閱的書。
人人都讀過，所以彷彿你也讀過的書。
好久以前讀過現在應該重讀的書。
你一直假裝讀過而現在該坐下來實際閱讀的書……。
——伊塔羅．卡爾維諾《如果在冬夜，一個旅人》

目次

Ⅰ【附錄】

究竟誰是我？
誰寫出我？
誰比我還瞭解我？
誰在主宰我而且預言我？
誰在同步活出我？
複製我並且狎玩我？異化我？改造我？
在我不存在的時空虛設我？
當別人寫得更像我，而我開始寫得不像自己的時候，
我該歸屬於誰的風格？
我要更換語彙嗎？
如果換了，那還會是我嗎？
哪一個才是真實的我？
我難道是一個被虛設的身分，活在近似網路複製的生態中？
當電腦關機，我就隨電源消失？
該怎麼辦？
我正在失語。

作者簡介

李欣頻

攝影／陳明聖

政大廣告系畢業，政大廣告研究所碩士，北京大學新聞與傳播學院博士，曾任教於北京大學新聞與傳播學院，擔任《廣告策劃與創意》課程講師，並曾於北京中醫藥大學修習半年。並為收視率達三億之大陸旅遊衛視頻道《創意生活：土耳其、臺灣》特約外景主持人。

有著作家詩人的孤僻性格＋靈修者洞察深處的眼睛＋旅行者停不下來的身體＋廣告人的纖細敏感與美學癖＋知識佈道家想要世界更好的狂熱＋教育者捨我其誰的使命感。

曾任意識形態廣告公司文案、誠品書店特約文案。宏碁數位藝術中心特約文案創意。

台灣廣告作品

中興百貨、遠東百貨、誠品書店、誠品商場、宏碁數位藝術中心、富邦藝術基金會、台新銀行玫瑰卡、臺北藝術節、鶯歌陶瓷博物館、加利利旅行社、臺北市都市發展局、新聞處、統一企業集團形象廣告、飲冰室茶集、雅虎奇摩網路劇、台灣大哥大簡訊文學獎、公共電視形象廣告案……等。

大陸廣告作品

現代傳播集團《周末畫報》、《優家》、《iweekly》形象廣告案，西安音樂廳、汕頭大學圖書館、CA BRIDA、北京海文機構、上海大悅城開幕廣告等。

專欄

曾為聯合報、自由時報、廣告雜誌、香港ZIP雜誌、皇冠雜誌、TVBS週刊、ELLE雜誌、MEN'S UNO雜誌、大陸北京晚報、中國圖書商報、費加洛雜誌、女友、廣告大觀、城市畫報、嘉人雜誌、時尚健康、優家、職場……等之專欄作家。

任教資歷

台灣科技大學、中原大學、臺北大學、青輔會、成功大學、學學文創、誠品信義講堂、北京大學新聞與傳播學院……關於廣告、創意、創作、出版課程之講師。

台灣：太平洋SOGO、新光三越、AVEDA、衛生署中醫藥委員會、聯電、旺宏電子、德州儀器、統一企業、東森得意購、宏碁、民視、NOVA、康健雜誌、南山人壽、國家音樂廳、國家戲劇院、富邦講堂、誠品書店、數位學院、幼獅文藝寫作班、臺北市立圖書館、桃園巨蛋體育場、文建會公民美學講座、摩根富林明、十大傑出青年基金會、動腦講座、中國生產力中心、數位時代創意實踐講堂、北美館（台灣生活創意座談：誰來寫台灣設計品牌）、當代藝術館、臺北電影節、台灣大哥大、芝普、國貿學院經管策略管理將帥班……以及台大、政大等數十所大專院校之邀，公開對外演講或是公司員工內訓。

海外：獲邀至馬來西亞華人書展、新加坡、香港等地演講，中國書刊發行業協會主辦的書業觀察論壇、上海書城、上海圖書館、北京大學國際時尚管理高級研修班、北京聯合大學、北京民族大學、美國協和大學MBA中國中心、以及第二屆中國國際文化創意產業博覽會、北京798之AH創意沙龍、廈門32 SHOW創意院落、上海十樂、廣州城市畫報主辦之創意講堂、深圳人民大會堂、湘潭大講堂……等大陸各地講堂或創意產業園區中演講，並為中國第一娛樂互動門戶：貓撲網、招商銀行、淘寶網、中國電信、藍光、江蘇電視台、湖南衛視……進行企業培訓。

評審資歷

曾任北京青年週報換享創意競賽評審、二〇〇八年廣州日報盃華文報紙優秀廣告獎的決賽評審、全球最大學生創意競賽金犢獎決選評審、FRF「時尚拒絕皮草」藝術設計大獎決選評審、二〇〇九臺北電影獎媒體推薦獎評審、連續五屆台灣廣告流行語金句獎評審、二〇〇九年臺北電影節媒體推薦獎評審、誠品文案獎評審、南瀛獎動畫類評審、董氏基金會大學築夢計劃決選評審、中國時報文彩青年版指導作家、TWNIC第五屆網頁設計大賽決選評審委員、救國團「創意與創業全國」座談會與談人、金鐘獎評審委員。北京青年周報換享創意競賽評審、二〇〇八廣州日報杯華文報紙優秀廣告獎的決賽評審、全球最大學生創意競賽金犢獎決選評審。

廣告代言

SKII、香奈兒彩妝、PUMA旅行箱、Levis牛仔褲、NIKE、Aêsop馬拉喀什香水、OLAY、匯源果汁、三星手機等。並與《可可西里》導演陸川、大陸知名歌手郝菲爾共同獲選為二〇〇八年度Intel迅馳風尚大使。

散文作品被收錄於〈中華現代文學大系〉散文卷。文案作品被選入《台灣當代女性文選》。二〇〇九年金石堂書展選為不可錯過的八位作家之一。二〇一〇年統一企業主辦網路票選年輕人心目中最喜歡的十大作家之一。

二〇〇四年數位時代雜誌選為台灣百大創意人之一。天下遠見文化事業群之《30雜誌》二〇〇六年九月號，選為創意達人之一。二〇〇九年入選大陸年度時尚人物創意家。入圍二〇一三年中國作家富豪榜，同年獲得COSMO年度女性夢想大獎、講義雜誌年度最佳旅遊作家獎。

接受過兩岸各大媒體專訪，台灣：中國時報、聯合報、自由時報、蘋果日報、中天電視台、中視、民視、超視、飛碟電台、遠見雜誌等。大陸：新浪網、搜狐網、中國廣播電台、中央人民廣播電台、廣州電視台、上海電視台、北京新京報、北京青年週刊、城市畫報、國際廣告雜誌、上海新聞晨報、上海外灘畫報、天津日報、燕趙都市報……等近百家媒體採訪。

目前已經旅行包括全歐洲、東北非、杜拜、阿布達比、印度、東南亞、東北亞、南極、美洲、不丹……等五十多國。

李欣頻作品

《李欣頻的創意天龍8部》：

第一部：《十四堂人生創意課1：如何畫一張自己的生命藍圖》

第二部：《十四堂人生創意課2：創意↓創造↓創世》

第三部：《十四堂人生創意課3：50個問答+筆記本圓夢學》
第四部：《私房創意能源庫：50項私房創意包．50樣變身變腦法》
第五部：《旅行創意學：10個最具創意的「旅行力」》
第六部：《人生變局創意學：世界變法，你的百日維新》
第七部：《十堂量子創意課：10個改變命運的方法》
第八部：《打造創意版的自己：創意腦與創意人格培養手冊》

《李欣頻的環球旅行箱》：
三部曲之一：《創意啟蒙之旅》
三部曲之二：《心靈蛻變之旅》
三部曲之三：《奢華圓夢之旅》

《李欣頻的時尚感官三部曲》：
三部曲之一：《情慾料理》
三部曲之二：《食物戀》
三部曲之三：《戀物百科全書》

《李欣頻的都會愛情三部曲》：
三部曲之一：《愛情教練場》
三部曲之二：《戀愛詔書》
三部曲之三：《愛欲修道院》

《李欣頻的覺醒系列》：
《為何心想事不成：秘密裡還有十個你不知道的秘密》
《愛情覺醒地圖：讓你受苦的是你對愛情的信念》

《李欣頻的曆法系列》：
《馬曆連夢錄》
《正能曆》
《萬有引曆》

《李欣頻的音樂導引專輯》：
《音樂欣頻率》（風潮唱片）

李欣頻Facebook粉絲專頁http://www.facebook.com/leewriter0811
新浪微博、騰迅微博@李欣頻，微信公共號請搜「readers0811」或「李欣頻」，微信服務號請搜「source0811」或「欣频道」
其中騰迅微博粉絲人數已超過四六〇萬人。

知名文化評論人　南方朔

為《誠品副作用》所寫的推薦序

當文案變成一種文學

每一個企劃或廣告行銷的文案，都祇是一個剎那的故事，一次小小的事件，最後變成一張海報，一份插頁的廣告，或DM裡的一個角落，它是使用過後就被遺忘的創意，沒有人還會繼續記得。

文案儘管會被遺忘，但卻未曾消失。一份文案是停格的單獨畫面，但十個、二十個，或更多的停格畫面卻成了動作，有動作斯有歷史。因此，個別的文案是枚基因，累積成總體的遺傳。文案的風格演練也彷彿像蚌蛛一樣，層層包裹出它的華豔。文案史裡濃縮著另一種版本的企業史。文案的影像塑造，語言運用，和它的風格呈現，意識背景，訴說的是一個非關業績數字的成長故事。

因此，李欣頻是幸福和幸運的。她年紀小小，就能參與「誠品意識」的塑造。文案是「誠品」的衣服，她做著設計，裁製的工作。《誠品副作用》一份份文案的匯積，就彷彿一場服裝的展示，人們讀到的不是服裝，而是穿著服裝的「誠」，畢卡索說過：「藝術是虛構的謊言，卻說出真實。」在這些虛構的文案裡，「誠品」第一次顯露出她綽約的奧秘。

「誠品」是九〇年代一個獨特的奧秘。它是書店，但其實卻又早已不再祇是書店，而成為台北文化地圖上的一個地標，一枚記號。「誠品」之於文化台北，就彷彿艾菲爾塔之於巴黎，它們都帶領著城市走往想像和期待的方向。

因而，艾菲爾塔的意義也就可以類比為「誠品」的意義。羅蘭巴特說過，艾菲爾塔高高聳立，人們的眼光無法迴避。它是巴黎的地標，也是一種代碼符號。它在風雨裡聚集雷電，而夏夜的塔頂燈光則彷彿成了螢火蟲。它在旅遊中被看，但也在高處俯瞰。它是理性的紀念物，而同時卻又是認同、標示、儀典、歡樂、消費，以及給著不斷變化中的巴黎意義。

而「誠品」不正是台北文化地圖上的艾菲爾塔嗎？它從店鋪開設之日起，就已叛離了書店的初衷，而把自己變成一則台北的神話傳奇。書對「誠品」而言，業已非書，而是一種饗宴，一種耽溺，一種期待，一種內心的著迷和品味；而「誠品」對「誠品」是夢幻東區裡的另一種夢幻。由和現在不一樣的期待與張望編織而成。「誠品」是台北文化地圖上的風景，不但妝著今日的花紅柳綠，也用它的夢幻呼喚著那些即將的未來。

九〇年代的台北，甚或台灣，以及華人文化圈，似乎都免不了要讓「誠品」佔住醒目之位置。以前，當麥肯西寫《舊金山》這首歌的時候，曰：「如果你到舊金山，千萬記住要在髮間別一串花束。」舊金山與花束是那時的新價值，新代碼，以及新的流行，而今日則能聽到：「如果你到台北，莫忘了要到『誠品』走上一回。」「誠品」是奉流行的叮嚀，一種不能疏落的風向及參考座標。「誠品」對知識分子，如同左岸咖啡座對巴黎文化人，祇要有那麼一兩個月未曾涉足，就讓人產生不知道巴黎在想些甚麼的無名焦慮。人們到「誠品」去停、看、聽、嗅，以便攫住台北的知識風情，或來段驚豔式的知識邂逅。「誠品」被觀光，被展示，成為指向未來的文化櫥窗，也是文化社交暨情報交換中心。在台北的中心逐漸東移的時代，它守候著新東區的大門，並形成了一個「誠品文化生活圈」，被它吞進而後又吐出的人群，吞吐之間彷彿真的反芻出了某一種不同的風韻。

植物的芽頂和根尖，都有生長點，城市也同有生長點。它細胞分裂旺盛，尚未被分化成某一種定型的機制，因此，它缺乏被認定的可能性，而沒有可能性卻也正是它的一切可能性。這就是年輕的旺盛。「誠品」之成為「誠品」，就是因為它的年輕。

「誠品」的年輕，也是李欣頻的年輕，《誠品副作用》無論如何閱讀，都可以讀出年輕的風采。當本世紀初，近代的廣告概念出現而名家輩出，歷史學家艾文（Stuart Ewen）稱讚他們是「意識的船長」，其最高的境界已不再指涉商品，而是將人的反省向著自己的不足，羅曼史的想像，性的勢能，以及衰老和死亡的解毒藥。廣告已非說服，而是一種暈染，李欣頻用她年輕的暈染美學在替「誠品」造像的同時，也在反映著「誠品」的年輕歷史。《誠品副作用》的文案寫作，是一種詩與非詩之間的實驗、拼剪，無關係聯想的營造，或者就是各種斷想的接枝與配交。它多半不以具體的書或活動作明言的訴求。而是在具體的週邊浮繞，以想像來勾勒實體，用朦朧挑動出本質。它有時營造炫酷，有時則推促著鄉愁，甚至有些時候則教唆叛逆。文案寫作愈來愈成為一種表演，在這個誰也別想說服誰的時代，文案不再那麼實用的像結構功能，而愈來愈接近文學創作，而欣頻原本就是個很有才情的文學創作者啊！

多年以來，我始終用「虛構文本」的角度來看「誠品」的活動文宣及企劃文案。那是一種年輕的造句法，經常故意打亂語言的既定指涉，卻又接上另外一些意義的枝枒。這是誠品成功的文案及頭腦體操。它突兀而懸疑，有如不斷進行的變裝秀。文案的表演和遊戲風格，其實也就是「誠品」魅力的一個超人氣側面縮影。

「誠品」是個傳奇，它將書變成不是書，書店也不是書店，而文案則變成了文學，在人們對書已愈來愈失去敬意的時代，它以一種轉折的方式，重新為書找回地位，這乃是「誠品」的終極。每當想到這一點時，就覺得它所做的一切，其實都已值得，固不僅祇有文案而已！

前百帝廣告公司執行創意總監　葉旻振

為《繼續字戀》所寫的推薦序

繼續字戀，是誠品的副作用

作家紛紛上電視節目打廣告，廣告人紛紛在廣告上偷渡文學欲圖變成作家。當文學廣告化，廣告只好文學化，這是一種反撲，也是一種互補。當文學慰藉嚴重缺貨，人們開始在廣告詞或流行歌詞上尋求寄託。沒有舉杯邀明月的雅興，至少有乎乾啦的爽快酒量。

李欣頻在《誠品副作用》之後，《繼續字戀》，都是廣告文學化的典型例子。由一篇篇誠品書店的宣傳文案，以及其他廣告創作集結而成，每一篇都是一首美麗的散文詩，像是讓文字穿高跟鞋，亭亭玉立，到處展示魅力。有些篇章是文字與文字比武，前面的辭句和後面的辭句決鬥，形成精采可觀的文字浴血戰。不像時下一般的廣告信函，以張牙舞爪的文字暴力搗毀你家信箱，然後告訴你：恭喜你中獎了，這是你獨享的權利。

廣告是二十一世紀的詩，詩人不死，只是逐漸變身成廣告人。既然市場上沒有文學的容身之處，此處不留人，自有留人處，被傳統閱讀形式驅逐出境，展開絕命大逃亡，隱姓埋名搭上廣告傳單的便車，逃亡到廣告招牌中藏身，躲進電視報紙的夾縫中生存，從此掛廣告的頭賣文學的肉。商業迫害文學、文學臥薪嘗膽，以牙還牙將商業文學化，一點一滴慢慢收復文學失土。在這個商業到令人悲傷的時代，讀李欣頻將廣告文學化的《誠品副作用》後，《繼續字戀》，讓人有一種復了仇似的快樂。

精心創造的廣告比粗製濫造的文學高尚，有良知的廣告人比沒良知的作家道德。我不是央行總裁，無法干預台幣貶值，但是身為文字工作者，卻樂見有人挺身挽救文學貶值的危機。一本好書就像強勢貨幣能讓心靈富有，因為惜墨如金，所以字字珠璣。蘇格拉底說，沒有經過熬夜寫出來的文章不值得一看；顯然這本書必定是無數個失眠的夜晚結晶而成的。羅蘭巴特說：「閱讀上的爽和做愛一樣」，閱讀李欣頻《誠品副作用》的副作用，就是讓人非常容易《繼續字戀》，精神上爽快兩次。

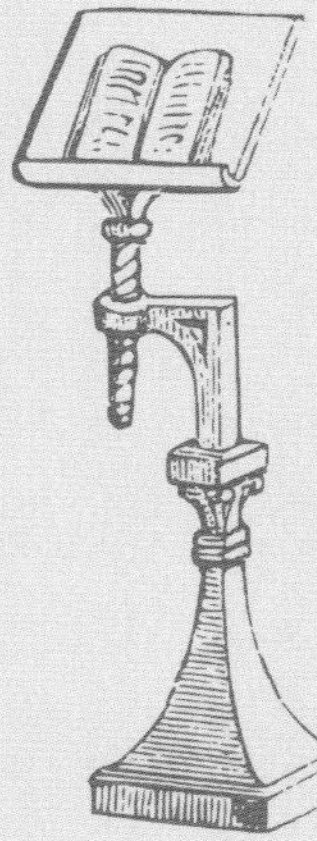

北京大學新聞與傳播學院副院長・博士生導師　陳剛教授

推薦序

咒語、通靈者與貓

李欣頻是年輕一代華人廣告圈中的佼佼者，她延續了傳統文案的精髓，並進行創新，逐漸形成了自己獨特的風格。在以誠品書店文案為主所匯聚而成的《廣告副作用》一書中，這一風格得以盡情展現：從具體的廣告環境中，把文案抽離出來進行閱讀，這些文案彷彿具有了獨立的生命，因而提供了一種觀察廣告文案的新角度。

如果把廣告活動看作一種儀式的話，那麼，在這個儀式中，一個非常關鍵的因素就是廣告文案。廣告文案就像某種神祕的咒語。在很多宗教儀式中，咒語被認為具有神奇的力量，輕念咒語，人與宇宙萬物間溝通的關係一下子就打開了。好的廣告文案也是如此，一句看似不經意的廣告語，對消費者而言，彷彿是撬動心靈之門的按鍵。消費者被真實所觸動，然後領會、感悟，最終參與到消費的過程中。對於廣告活動而言，好的廣告文案，是靈魂，是活力之源，具有咒語一樣的魔力，它會觸發廣告效果的能量場，創造品牌與消費者的溝通。

咒語雖然是一種語言形式，但這種形式必然有不同於日常語言的特質。咒語是不可知的世界與可知的世界之間的橋樑，所以咒語必須創造一種表達方式，在咒語中必然有不可解的要素。這正是咒語的魅力和魔力的所在。廣告文案也是對語言的一種重新發現和定義。廣告文案把商品同消費者關係的不可知的層面通過語言表達出來，像咒語一樣激發消費者形成對商品的感應。因而，廣告文案的語言表達必然具有某些反日常語言的特性。只有對語言的陌生化，語言本身的力量才能充分顯現。

在可知與不可知之間來去自如，所以，創作出一流文案的人必定是通靈者。他（她）雖然生活在常人中間，但就像遊曳在世間的貓一樣。貓的目光經常穿透了物質之牆。由於看到了前世、來世以及其他豐富的跡象，它的眼神當然是飄移而詭異的。我看到許多優秀的文案創作者都具有貓一樣的神態，貓一樣的特質。無論他們呈現出或溫順、或威猛或萎靡的形態，或蜷伏，或伸展，在特定的時刻，他們的眼中總是瞬間閃爍出迷離又決斷的光芒，就像貓在散漫的行走中突然警覺到未知的形體的存在。

優秀的文案創作者，是社會的神經末梢。他（她）所表達的是自己的情感，但代表了不同群體最隱秘和最真實的內在的需求和意識。他（她）對社會變遷所帶來的個體心理最細微的變化是如此敏感，以至於發出囈語一樣的呻吟，這種表達的結晶應該是詩，但同商業文化結合的時候，就成為廣告文案。如南方朔先生所言，廣告文案是介於詩與非詩之間的。廣告文案用語言的形式凝聚和提煉了消費者的情感，並建立了同商品的精緻的鏈結，因而對消費者產生了引導和感染的力量。這是一種暈染，廣告文案賦予商品以動人的意義和價值，吸引消費者關注和擁有。

以上文字與其說是序，不如說是讀罷《廣告副作用》一書的感想。

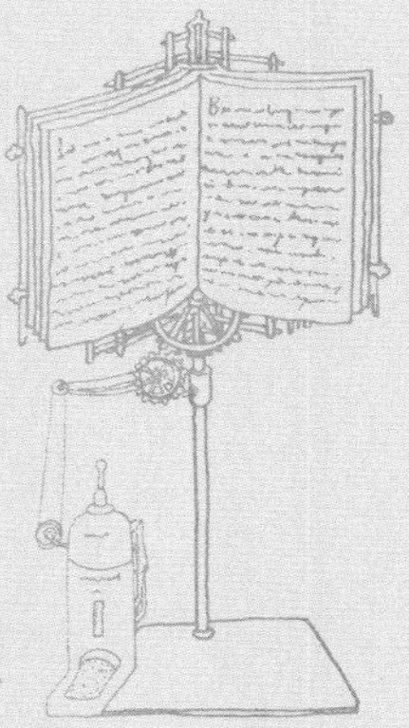

推薦序

一本書的傳奇與可能

大陸知名龍之媒廣告連鎖書店董事長　徐智明

在今天這個版本之前，大陸能買到這本書的地方大概不超過五個，想讀或者會對它一見鍾情的，大概會超過五萬或更多，包括廣告人、書店店主、出版業者、時尚體驗者、文化閱讀者、書的精神狂熱者。按照作者李欣頻在字裡行間留下的密碼，還能聯絡到知識勞動者、中產階級、另類文化迷、流浪藝術家、王家衛的觀眾、三宅一生的擁躉、高木植子繪本迷、字戀者……

在我所服務的廣告業，讀者把它當專業書。它的確也是廣告書，而且在廣告書中，它還絕對是一個獨特的存在，在你所能見到的每一面閃著確切又難以捕捉的光，撲朔迷離，可遇難求。廣告可以這麼寫？一家書店的廣告可以這麼寫？文案功能的極限在哪裡？文字意蘊所能達的疆界又在哪裡？當你迫不及待地從頭讀到尾，又回來在某處停下，為這些無法回答的問題冥思時，作者已經驚鴻般掠過每一個廣告文案撰稿人都夢想著達到的那個境界，留下這些看似平常敘說，卻時時有某種柔韌的力量穿透重重屏障直達訴求物件內心的文案，轉戰更廣泛的領域揮灑文字、才情、感悟去了。

沒有第二個李欣頻，沒有第二個當年的誠品，所以作為專業書，這本書不是用來學的，是用來讀和感悟的。李欣頻不願意複製自己，同樣，誰也複製不了李欣頻。或者，這本書只是讓我們看到一種可能，並因這種可能而心生希望，原來廣告的疆域並不如像我們日日見慣的這樣狹小，所不能突破的，唯心而已。

在我所處身的書業，店主和出版人們也把它當專業書。一家書店，如何成為台灣的文化地標？又如何跨越海峽，成為大陸有理想的店主們建設自己書店的榜樣？如何給一個書店品牌，注入如此多樣又如此和諧的符碼和內涵？如何將濃郁的商業氛圍與深遠的文化意境兩樣看似格格不入的元素集於一身？

身為書店店主，說誠品的氛圍是無數同行的夢想，理解大概不差。這本書，則被視為一個書店傳奇的解讀密碼。書店和文案和李欣頻一樣，不可複製。但我相信，好書店是可學的，畢竟，這本書的每一篇文案，都是為一家書店的商業活動而做，其中隱含或明示的資訊，已經足供體味甚或探求。

這樣一本書，其可能性自然不僅如此。如果你愛書，並且在情感上與某家你鍾愛的書店發生過絲絲縷縷的聯繫，你很可能在這本書中，重溫到某一刻的心馳神往；如果你愛的是閱讀不同但獨特的文本，那麼這本書，很可能帶給你一些全然不同的體驗；如果你愛文字，看到一種如此獨特而有魅力的敘說方式，一定是件無比過癮的事。

前台北市政府新聞處長・詩人　羅智成

推薦序

用文字奪權，讓文學政變

廣告文案為什麼看起來和文學這麼接近？

是不是文化和商品有時分不清？文學與非文學有時分不清？

從李欣頻的作品來看，文案與文學的雷同，似乎在於它的創意、修辭與表現技巧，它所依據的人性基礎，甚至還包括了它所傳達的某種態度，或某種對理想的追求。

但是，文學的本質是不會退讓的，它必須出自創作者個人的感受與動機——即使當作工具，也只能作為創作者個人的表現工具。讀者因為相信這些，所以相信文學的真誠。但是，會不會，另外一些更大的可能性已繞過文學的本質而展開了……

同時在成長的兩個緊鄰的事物，終會擠掉彼此的界線，而產生「混淆」或者「混血」。「越界」就是這樣一個快速成長的年代典型的文化現象——甚至，快速成長的兩個不相鄰的事物，也會擠掉彼此的邊界……

李欣頻作品所鮮明呈現的新寫作浪潮（我並沒有用文學來稱呼它）正是這樣：年輕世代的創作者，正帶著未經「文學」規範、或不曾被「文學」規範到的態度與作品，繞過文學本質，向潰不成軍的文字書寫傳統傳達了「支援」或「篡奪」的訊息……。

舊版自序之一：
李欣頻《誠品副作用》自序

魔島浮自腦海中

法國導演侯麥曾經說過，如果能做一個好的小說家，何必當導演？同理可證，如果能成為一個好的詩人，又何必去寫文案？之前曾對於應接不暇的誠品文案工作量稍有抱怨，覺得佔去了很多自己創作的時間。五年下來，五十多篇的文章居然已達出書的數量，成了我的人生第一本出版作品。

James Web Young曾提出一個《魔島理論》：「古時候水手們曾傳說，有一種『魔島』存在海面上，比方地圖上沒有的島，卻突然在一覺醒來，發現出現在周邊。這些文案的產生，有時也像魔島一樣，一醒來就自然而然地浮在腦海中，魔島是一夜形成的嗎？當然不是，經過了無數次珊瑚在海底中的累積成長，在最後一刻浮出海面上。」

誠品之於我，與其說是一間書店，不如說是一種態度，一種事件，一種耽溺，一種自戀，一種性格，一種過癮，一種感染，一種必要。於是自二十五至二十九歲這五年來的心情、觀點、情緒、感受……一夜之間，就像一座海島般地，浮自於每一篇的文案事件中；有時會把它們當成日記在看，而這些早已成我三十歲前最重要的人生資產，搬家時總是第一優先處理。

最好的文案還沒有寫出來，最好的朋友已經交到：感謝誠品的吳清友、廖美立、乾瑜、芳蕙、文琪、廉瑛、筠平、玉華、淑真、曉君、政弘，感謝小葉及意識形態的那一年，讓我開始學著用想像力寫世界。

就像雨果曾說，出版一本書，就像在荒島上向海丟出一隻求救瓶，隨著天候潮汐，隨著命運，瓶中的稿子，會漂向何處，何時落到何人手裡我一無所知，正因為一無所知，所以充滿希望。

於一九九八年五月一日，台北木柵桃花源

舊版自序之二：

李欣頻《繼續字戀》自序

字戀・自序・字愛

因為自戀，所以字戀。以字描出另一個自己，複製另一個人代我生存，代我維生，而原我則得以衣食無虞地書寫，所有非現實、超現實的部分。

廣告註定不能成為宗教。宗教講生死，有明暗，分善惡，一陽一陰，天堂和地獄並存。但廣告總是隱惡揚善，永遠完美幸福快樂的世界，怎麼看也不是人生的全部，另一半的境界，祇好用文學來彌補。在這本《繼續字戀》中，文案是表相，是魔島，頂端客戶付了錢，是中興百貨，是誠品，是你們看得到人生明亮的部分：詩化的超現實小說則是精神自瀆下的私人產物，填補了廣告明燈下必然產生的人生陰影，陪在旁邊一起展示，陰陽分久必合，相生相應並不相剋。

像雙胞胎一樣，這本《繼續字戀》的確是與《誠品副作用》同卵雙生，新生脫胎換骨地公開在字裡行間曝露出原我的幻像。在誠品邁入十周年的時間下誕生，它將陪著《誠品副作用》雙入雙出，流浪在書店與書桌之間。

感謝誠品的Rita、乾琦及所有的催生者。感謝從台灣各地、香港、甚至是英國讀者的回應。《繼續字戀》企圖放慢你們閱讀廣告的慣性速度，看完不必決定喜歡不喜歡、買或不買，記不記得是賣什麼也不再重要，一九九九文字回歸大限一到，我們都解脫了。

Cyberspace
繼續
SINGLE FREEDOM

舊版自序之三：

原二〇〇二年出版《廣告副作用》作者自序

橫跨三階段人生際遇的廣告文案書

人生每逢七年會有重大轉換。我二十一歲進廣告圈，開啟了我好奇觀看流行、書寫藝文的七年。二十八歲出版我第一本的著作《誠品副作用》，開啟了後續十多本著作的高創作七年。現在進入三十五歲、我人生第五個七年，因《誠品副作用》與《繼續字戀》轉換出版合約之故，在市面缺貨一年多的空窗準備下，終於要改編完成，重新出版。

兩本廣告文案集，橫跨二十一、二十八、三十五，三階段的人生七年，現在回首看過往一切，宛如一場快到來不及反應的繁華如夢，第一篇文案彷彿是昨天才完成的，然後一連串不一樣的生命就此展開：開始要與出版編輯、媒體記者、在校學生、各地讀者、廣告業主……接觸，我得走出自己的創作書房，與更大的世界見面，與更多的人際交流，這是當初出版《誠品副作用》時我料想不到的，我似乎被推到高速更迭的舞臺上，被刺眼的鎂光燈照著，無處可逃。我總是在通告與通告之間，找尋獨處創作與出國旅行的空檔縫隙，我仍努力把自己放回到最初的原點，盡力不讓各方炫燿的潮流光影，把自己沖得魂飛魄散。

我很珍惜這十四年的特殊際遇——我過著公眾人物與私創作者的雙重生活，無論是在記者座談會上，競賽評審會上，我有幸在最短時間裡、最近距離內目擊到各方頂尖菁英的精采面貌；在非常多的場合中，結識各方極優秀的作者，及不吝給予最多鼓勵的讀者們，讓我因為這些人而看到不同的生命層次與質地。

正因為如此，我必須回到源頭，感謝很多人在我的漫漫廣告創作生涯中，所給過我的重要幫忙：帶我走出高中升學壓力陰霾的甘訓賓老師、建議我念廣告系的父親、政大廣告系所的老師與同學好友們、葉旻振的啟蒙、誠品書店的同事們，以及大遠百的蔡美惠小姐對這本書再次出版的義務協助、最早催生《誠品副作用》的謝金蓉小姐、接手再版繁瑣事務的美玲以及無以數計的熱心讀者寫信催問……沒有他／她們其中一人，就沒有這本《廣告副作用》的誕生。

這不只是我舊的廣告文案再度出土，而是我新的創作生命再次蛻變、重新開始。

舊版自序之四：

二〇一〇年版自序

十二年前的廣告文案，十二年後的《廣告副作用》

一九九八年出版的《誠品副作用》（《廣告副作用》的前身）是我的第一本書，至今已經整整十二年了，從我二十八歲到四十歲。如果照電影《再見了，不連絡》的說法：「人生有好多個十年，如果剛好是十八至二十八歲，那就是一輩子了」，這本書等於代替我二十八歲之後又活了一輩子，活出了二〇〇四年增訂合版《廣告副作用》（與《繼續字戀》合版），二〇〇七年到大陸出版又分開為《誠品副作用》（藝文版）、《廣告拜物教》（商業版），二〇一〇年台灣新版比照大陸版的型式，增訂為《廣告副作用》藝文版與商業版兩本。

相信讀者看了以上的十二年演進史都暈了吧，我自己根本沒想過在這麼高速汰舊換新的市場上，這本書還能活到現在，連書中經歷的廣告公司、中興百貨都已經走入歷史，我也從文藝熱血青年變成了關心地球暖化的中年人。我好奇的是，十二年前買了《誠品副作用》的讀者，這十二年來你們過得好不好？這十二年你們經驗了什麼？我影響了你們什麼？你們影響了別人什麼？我們影響了地球什麼？

時針走完一圈十二格之後回到原點，我也回到了新的起點——出書史滿十二年，讓我從廣告人變成作家（從廣告橫跨到創意、旅遊、愛情、美食、建築、數位藝術、靈修、地球），作家變老師，老師變評審、評審變博士、博士變節目主持人……還有很多繁衍的身份，例如：影評、旅遊作家、廣告代言人……，出版了第一本書之後開始認識很多很精彩的人，湧進了非常多的機會，開啟了我的各種生命版圖，這十二年我活得很過癮，沒有虛度，死而無憾。

要感謝的人很多，之前的自序都提到過，還好他們現在都在，仍是我至今保持連繫、繼續支持我的好友們；要感謝的讀者越來越多，還好你們都在，不棄不離地支持我繼續寫書；還要感謝暖暖書屋願意讓這本書繼續活在這個地球上，它會在書店一直讓我看見十二年前的自己，也讓你們仍能看到十二年前的我。

未來地球環境的變化會越來越劇烈，但我會越來越緩慢靜定，因為我已中年，即將邁入老年，我已不若過往的年少輕狂，出書的速度從一年四本減緩到一年一本，未來會越來越慢，直到徹底從公眾舞台上消失，回到沒有讀者的世界，回到我自己。

A

誠品・緣之初・閱讀者的群像

這是我為誠品寫的第一篇文案，
原本只是Interview時應徵用的作品，後來就這樣為誠品寫了十多年。

誠品閱讀雜誌形象廣告之一

閱讀者的群像

海明威閱讀海，發現生命是一條要花一輩子才會上鉤的魚。
梵谷閱讀麥田，發現藝術躲在太陽的背後乘涼。
佛洛伊德閱讀夢，發現一條直達潛意識的祕密通道。
羅丹閱讀人體，發現哥倫布沒有發現的美麗海岸線。
卡謬閱讀卡夫卡，發現真理已經被講完一半。

在書與非書之間，我們歡迎各種可能的閱讀者。

我腦海中的閱讀夢境

閱讀一個具象，發現一個抽象。

當時腦中的畫面，
是一張有紗有被的四柱床，
人坐在上面，用釣竿鉤著
卡夫卡的蛻變，
漂在空曠無際的海上。

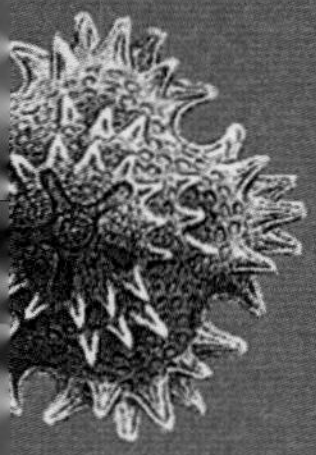

誠品閱讀雜誌形象廣告之二

關於閱讀的另一個概念

不懂卡爾維諾。不懂愛情。
不懂身體氣象學。不懂同性戀。
不懂女人。不懂瑪格麗特・莒哈絲。
不懂Free Jazz。不懂死亡。
不懂世紀末占星學。不懂包浩斯。
不懂楚浮。不懂政治權力和鬥爭。

所以我們閱讀。

誠品閱讀

6＋6＝16的意外，請您驗算

1隻黑羊加上1隻白羊，等於2本村上春樹的劇情。
2顆紅蘋果加上2顆青蘋果，等於4種夏娃式的誘惑。
3杯雞加上3杯Chivas，等於6次飲食過度的情傷。
4輪傳動的吉普車加上4套換洗衣物，等於8次精神性出走的疲憊。
5件張愛玲式的祖母上衣加上5條世紀末夢幻項圈，等於10場上海服裝秀的頹廢。
6本《誠品閱讀》加上6本《誠品閱讀》，等於16次大量提領精神食糧的擠兌事件。

《誠品閱讀》
現正舉辦「訂閱一年贈送二本，訂閱二年贈送四本」回饋活動，
關於3＋3＝8，6＋6＝16的意外之喜，您可以打電話來驗算一下！

一加一大於二的誘惑遊戲

這次促銷活動辦法很簡單，訂閱一年《誠品閱讀》送二本，訂閱兩年送四本，促銷只是一加一大於二的遊戲。關於數字，Peter Greenaway的電影《淹死老公》中，一到一〇〇的一〇〇個數字，分別出現在浴室、船、腐敗的蘋果、鞭炮和帽子上。數字被物化後，具象的加減乘除可以得到抽象的結果，就像是一隻黑羊加一隻白羊可以等於兩本村上春樹《尋羊冒險記》的劇情是一樣的道理。

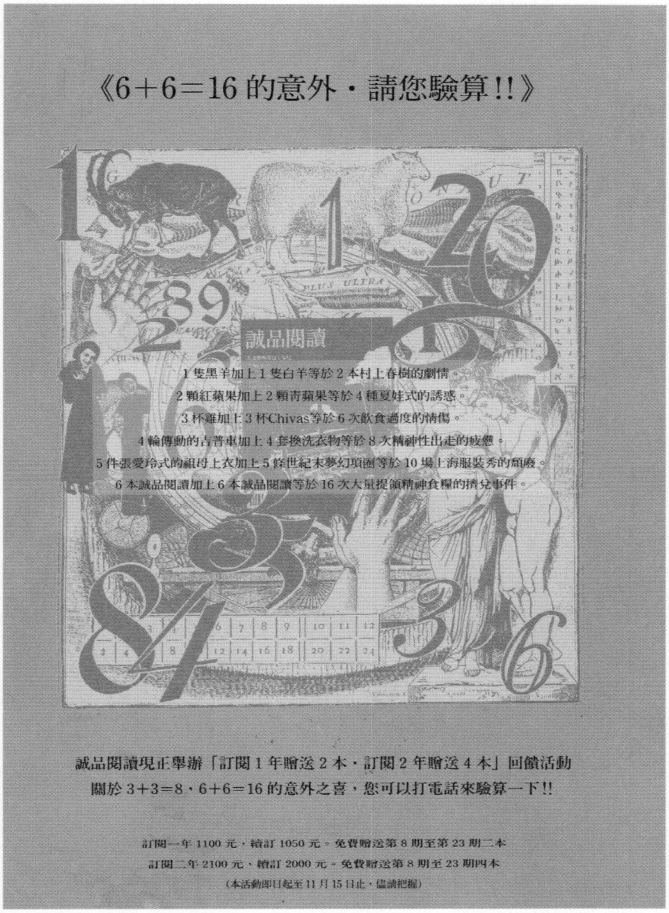
《6+6=16的意外・請您驗算!!》
誠品閱讀
1隻黑羊加上1隻白羊等於2本村上春樹的劇情。
2顆紅蘋果加上2顆青蘋果等於4種夏娃式的誘惑。
3杯雞加上3杯Chivas等於6次飲食過度的情傷。
4輪傳動的吉普車加上4套換洗衣物等於8次精神性出走的疲憊。
5件張愛玲式的祖母上衣加上5條世紀末夢幻項圈等於10場上海服裝秀的頹廢。
6本誠品閱讀加上6本誠品閱讀等於16次大量提領精神食糧的擠兌事件。
誠品閱讀現正舉辦「訂閱1年贈送2本・訂閱2年贈送4本」回饋活動
關於3+3=8、6+6=16的意外之喜，您可以打電話來驗算一下!!
訂閱一年1100元，續訂1050元。免費贈送第8期至第23期二本
訂閱二年2100元，續訂2000元。免費贈送第8期至23期四本
（本活動即日起至11月15日止，儘請把握）

買一送一的特權

對買剛出爐的法國麵包，要求附贈一束陽光的人。
對看電影要求附贈一輩子回憶的人。
對買房子要求附贈空中花園的人。
對喝藍山咖啡要求附贈一杯靈感的人。
對買好書要求附贈額外智慧的人。

訂《誠品閱讀》送人文特刊，買一送一的特權，
送給以上懂得要求的人。

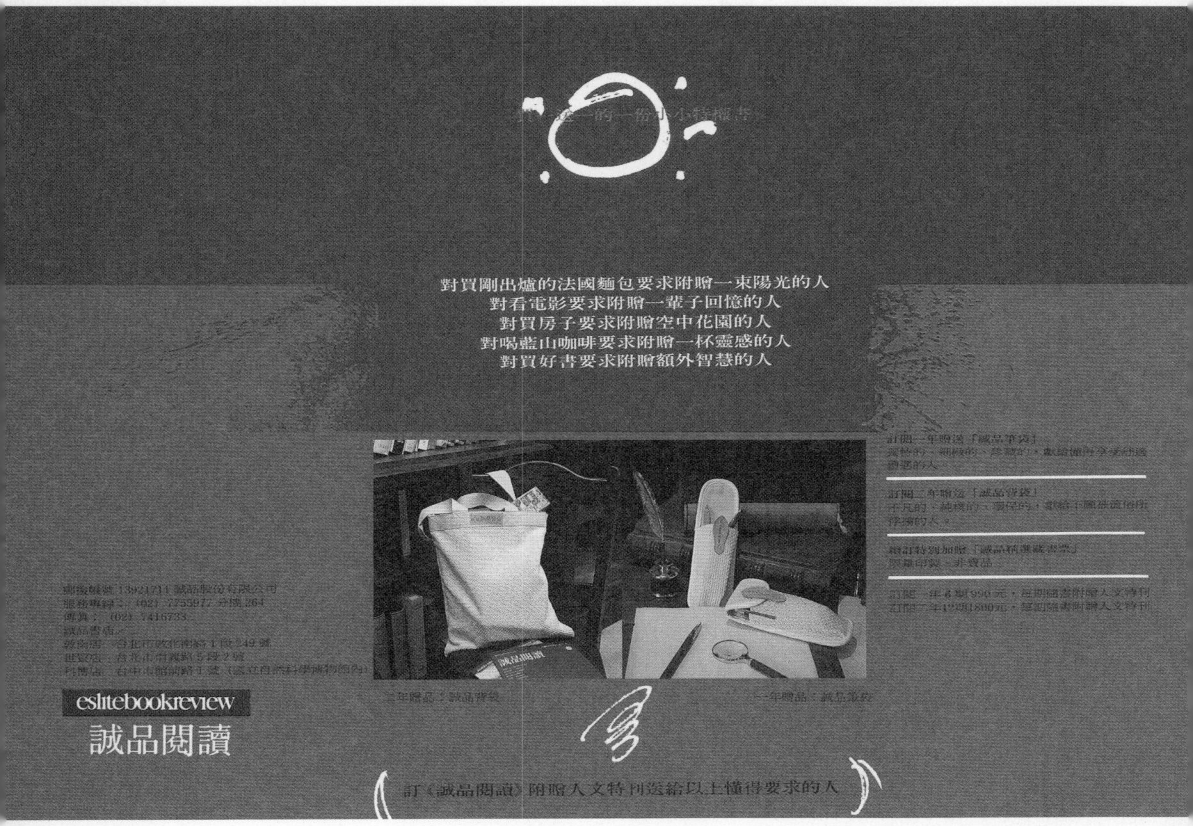
對買剛出爐的法國麵包要求附贈一束陽光的人
對看電影要求附贈一輩子回憶的人
對買房子要求附贈空中花園的人
對喝藍山咖啡要求附贈一杯靈感的人
對買好書要求附贈額外智慧的人
訂閱一年贈送「誠品筆袋」
訂閱二年贈送「誠品背袋」
訂閱一年6期990元，每期隨書附贈人文特刊
訂閱二年12期1800元，每期隨書附贈人文特刊
郵撥帳號 13921711 誠品股份有限公司
服務專線：（02）7755977 分機 264
傳真：（02）7416733
誠品書店：
敦南店：台北市敦化南路1段249號
世貿店：台北市信義路5段2號
科博店：台中市館前路1號（國立自然科學博物館內）
eslitebookreview
誠品閱讀
二年贈品：誠品背袋
一年贈品：誠品筆袋
訂《誠品閱讀》附贈人文特刊送給以上懂得要求的人

B

舊書・舊貨・舊感情

要完成一件道地有舊衣質感的服裝，要等十年。
我想開始設計「時間」，比方設計舊衣、舊物、舊傢俱……
所有可以包含「時間」的舊物件。

——日本服裝設計師山本耀司

天母誠品跳蚤市場開賣

1994.10.29～11.6 02:00PM～10:00PM

過即棄的愛情

用過即棄的愛情，用過即棄的虛榮，用過即棄的問候，現代人大量拋棄物質，凡事過了三個月的保存期限，就徹底失去忠誠。在文化高度傳染區裡，辦一場屬於文化人的跳蚤市場，在雜貨堆裡尋找藝術，帶著發現寶藏的驚奇，把永恆感找回去。

人與物的保存期限

用過即棄的愛情，用過即棄的彈簧床墊，用過即棄的寒暄，用過即棄的保暖袋，用過即棄的問候，用過即棄的雷諾原子筆，用過即棄的現代人大量拋棄物質。

凡事過了三個月的保存期限，就徹底失去忠誠。期待這一場誠品跳蚤市場，讓你我在舊貨堆中找到藝術，在舊鞋裡發現腳的生命，在舊照片中體悟新情感，在世事難料、風雲不測中找到永恆感。

FLEA MARKET
天母誠品
跳蚤市場

天母誠品
跳蚤市場
短短九天，稍縱即逝

D.A
FLEA MARKET
天母誠品
跳蚤市場
83.10.29~11.6 11:00AM~10:00PM
短短九天，稍縱即逝
44000
TO:
dyna
FREIGHT INC.

D.A
Distributed Art
UPS
YOUR
天母誠品
跳蚤市場
83.10.29~11.6 2:00PM~10:00PM
短短九天，稍縱即逝
用過即棄的愛情，用過即棄的虛榮，用過即棄的關係，
現代人大量拋棄物質，凡事過了三個月的保存期限，就徹底失去忠誠
在文化高度傳染區裡，辦一場屬於文化人的跳蚤市場，
在雜貨堆裡尋找藝術，帶著發現寶藏的驚奇，把永恆感找回去。
TO:
dyna
FREIGHT INC.

過期的舊書・不過期的求知慾

1995.3～11 3.19

過期的鳳梨罐頭，不過期的食慾。
過期的底片，不過期的創作慾。
過期的PLAYBOY，不過期的性慾。
過期的舊書，不過期的求知慾。
全面五～七折拍賣活動，
貨品多・價格少・供應快，
知識無保存期限，
歡迎舊雨新知前來大量搜購舊書，
一輩子受用無窮！

生活的過期與不過期

在王家衛的〈重慶森林〉中，金城武女友提出分手後，他以為只是玩笑一場。

在金城武五月一日生日之前，他等待她的回心轉意。於是他大量搜購四月三〇日到期的鳳梨罐頭，同樣也是愛情的有效期限。

四月三〇日零點整，他的女友仍未出現，他開始酗鳳梨罐頭。空罐頭淹沒了電影的鏡頭和他的世界。所以，用過期的鳳梨罐頭填滿不過期的空虛，用過期的舊書填飽不過期的求知慾，在舊書買賣會裡，人是可以很知足的。

臨時賣場的
1995.10.15~11.30
舊書買賣會
全面1~5折
拍賣活動

THE 6th ANNIVERSARY
誠品書店六週年慶

論斤計兩
舊書買賣會

夏日晒書
過期的鳳梨罐頭，不過期的食慾。過期的底片，不過期的創作慾。
1997.7.24-7.29
書籍、文具禮品等，
全面三至七折特價供應
1997
誠品舊書
買賣會
■ 會員不再折扣，會員消費可納入累計
■ 舊書買賣會現場恕不接受信用卡及圖書禮券
會員獨享：7/24 僅優先開放給誠品愛書人會員，會員憑卡入場選購
晒書地點 / 誠品敦南店 B2 藝文空間 (11:00 am ~ 10:00 pm)

喜新・念舊・移館別戀

舊愛是負擔、新歡是解放；
舊衣要回收、新裝有看頭；
舊友談交情、新友要投資；
舊屋有回憶、新家有期待。

舊的不去，新的不來，
所有舊的人事物還沒消失，
都留在隨時隨地的想念裡……。

一九九五誠品敦南店・十月搬家啟事

關於搬家：

送舊迎新・移館別戀

卡謬搬家了。馬奎斯搬家了。
卡爾維諾搬家了。莫內搬家了。
林布蘭搬家了。畢卡索搬家了。
瑞典KOSTA BODA彩色玻璃搬家了。
英國Wedgwood骨瓷搬家了。
法國HEDIARD咖啡搬家了。
可哥諾可皮件搬家了。
金耳扣大大小小的娃娃也要跟著人一起搬家了。

一九九五年十月一日，誠品敦南店搬家，
請你跟我們一道送舊迎新，移館別戀。

關於大拍賣：

論斤計兩・移館大拍賣

喜新念舊，移館別戀，
我們搬家，你搬書。

誠品舉辦大規模的知識抄家活動，
在舊貨打包、跳蚤市場打烊之前，
會有令人興奮的新折扣。

搬書時期：九月二十七日至九月三十日（只有四天）
搬書地點：誠品書店B1藝文空間

租約到期，覆愛難收。
情非得已，喜新棄舊，不要怪我移情別戀

一九九五年九月底，誠品敦南店從仁愛路圓環，搬到隔壁的新光大樓，真正理由是租金考量。

「搬家」其實是一種非常複雜的心情，全部盤點消耗財、永久財、庫存、和堆積物。有限的紙箱，大量耗損的膠帶、奇異筆……搬得走畫、照片、書、精品、有形的重量，卻搬不走風景、人的氣味、混合著對話的空間、上班時間出走的流浪心情、第一次外遇的約會記憶。

今夜無宵禁，仁愛路上誠品夜未眠。一九九五年九月二十三日上午十一點至九月二十四日九點，瘋狂湧進誠品敦南舊館的人潮、小劇場表演、跳蚤市場的趕集、陳明章的露天演唱會，及一整夜的舞會和啤酒。

「喜新念舊、移館別戀的主題」，只想藉著所有生活在台北東區都會人的一點點心事，一點點留戀、一點點出軌、一點點掙扎、一點點不捨、一點點興奮……，共構一次最大規模的台北人感情搬家事件，如此而已。

關於留言板：

聽到嗶一聲之後，請留話

火車站留言板上分手情人的留話。

公司留言板上PIZZA的外送電話。

PUB留言板上口紅印和Heineken的啤酒蓋。

搬家之前，誠品留一面15"×21"的牆，作為收集每一個人思念、不捨和等待回音的情緒留言機。

九月三十日前如果你會來誠品，麻煩你聽到嗶一聲之後，請留話。

你不在，所以留言給你

告訴你我新家的電話，告訴你我新辦公室的電話，告訴你我新申請的行動電話，告訴你我的新地址，告訴你我的新生活。

搬家是為了逃避舊生活，但我卻真的捨不下你。

留言板的空白，最後是被填滿了各式各樣的塗鴉及留話。滿滿地，全搬到了敦南新館。

《附註》

根據一九九五年《突破》雜誌一二五期報導，這次誠品的「喜新念舊．移館別戀」活動，已經創下了台灣書店史上的三大紀錄：營業的時間最長（十八小時），人潮最踴躍（超過二萬人），及凌晨三點買書要排隊等創舉。當天開出了六千張發票，業績高達三百萬元。

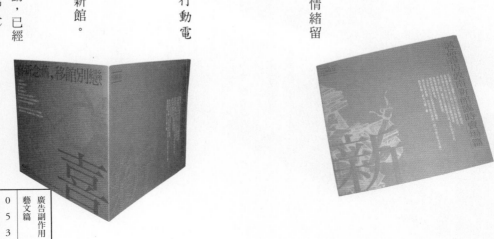

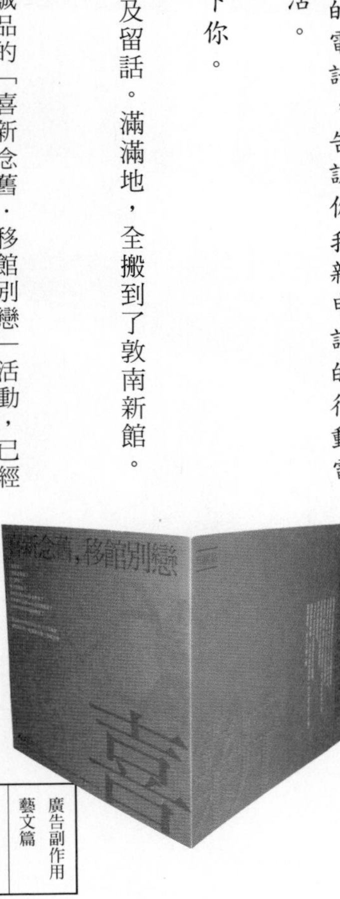

Bestsellers
誠品書店
CAPITAL
THOMAS PIKETTY
1年計畫 10年對話
抗藍光眼鏡
STEAL LIKE AN ARTIST
D

書店・誕生・創世紀

這個城市還很新，很多東西還沒有名字……。

誠品書店ESLITE BOOKSTORE
以欲望別，而非物品別分類，一個盛產心靈糧食的精神集散地，
誠品書店，開始起源於敦化南路，仁愛路口，一九八九年迄今。

小劇場表演、舞蹈、繪畫、攝影、面具展、紀錄片、舊書拍賣、
古書交易……。所有關於宗教的、性別的、節慶的、非節慶的，
歡迎東區的知識勞動者、中產階級、另類文化迷、無產階級的流
浪藝術家、非真理教徒的精神狂熱者，自主地在誠品書店集結，
或是事先不張揚地祕密前來。

早上十一點至晚上十點，這裡都有台北最新的事件發生。

臨時之必要

在道路正式通車之前可以先走臨時便道。
在新國家未形成之前可以成立臨時政府。
在法律未公佈之前可以訂定臨時條款。
所有的「臨時」都是存在舊秩序之後，完美形成之前，
在敦南新館未正式開幕期間，誠品的臨時賣場，
一九九五年十月十日起為您先行服務。

臨時之必要

為了忘了A，
所以找B。
後來回頭要求重修舊好，
選A，就和B難交代；

選B，又捨不得A。
在B和A之間取決不下，
所以決定臨時再找C來躲B、擋A。
臨時情人、臨時停車、臨時動議、臨時保姆、
臨時空間……
所有的臨時都有非常時期的非常必要。

誠品敦南新館：台北市敦化南路一段二四五號（新光大樓）
臨時賣場：新光大樓地下二樓

九九九九種繁衍生活的創意方式

米蘭昆德拉和費太太相見恨晚，
Hediard Café與誠品傢俱趁夜團聚，
Parker鋼筆和Picasso再次相逢。

需求重計疆界，感官互通有無。
張愛玲式的戀物情結復活，
二十二次強烈狩獵的暗示不斷，
請帶著生物的直覺，全方位釋放你的欲望，
誠品敦南總店，
有九千九百九十九種繁衍生活的創意方式。

樓層指南

2F 誠品書店

在廣大的知識頁岩中，提供你最期待的礦源。
文字零國界，資訊零時差，誠品書店以最廣域的書香，交換你的品味。

1F 知性・風采

簽約用的筆，寫情用的紙……
各式的書房文具展示區，是你眷戀生活的精品空間！

GF 美饌・風尚

食物戀的起源，三角形的味覺地圖，
在這個小小的世界上，唯一能喚醒你的，只是一種簡單卻獨特的味道。

B1 創意・生活

品時工業下生活提案空間，保留創意最盛期，與你重質不重量的相處。

B2 藝術・人文

創意自治，藝術自立門戶，你靈感的潛意識層，現在出土。

搬新家之後

誠品敦南總店，在一九九五年九月，萬人轟動搬家後，
一九九六年十月十二日終於全館新開張。

據建築師的構想，它是一個圖書館的形式，樓層變多了，樓面變寬了，移動了誠品愛好者的閱讀慣性，改變了生活消費的作息，影響了新的文化取向。

敦南大道上，誠品替台北城加入了流行的嗅覺，人文的觸覺，感官的味覺，台北東區新文化紀元，已經開始。

文化・逸樂・月光下的甜蜜私生活

九月中秋夜，
月亮剛出爐，玉兔罷工，
只有誠品歡樂開張。

請全台北的人暫停數羊，
取消一夜情，延緩睡眠，離開網路，
到誠品來喝酒、聽歌、翻書、跳舞、看月亮；
在敦化南路上，全面解除白天和黑夜的時差，
大量縮短月亮和地球的距離，
在能見度低的抒情月光中，
和嫦娥一起尋找逸樂千年的解樂……。

《附記》

一段陰錯陽差的插曲：
因開幕時間延後，錯過了中秋，
這篇應景的文案，便隨著月缺而消失。

有夢就是孩子・新兒童樂園十月開張

把捷運當雲霄飛車。
穿上直排輪鞋就是現代哪吒。
旋轉木馬是村上春樹的心靈馬術。
刺青貼紙是高齡嬰兒的新胎記。
對漫畫愈老愈不能免疫。
從格林童話找到對待情人的新方法。

芭比是最小的大人，老萊子是最老的小孩。
夢想是不老的保養品，有好奇心才能繼續長大。

誠品兒童新樂園，沒有身高上限，
給想長大的小孩，不想老的大人，
十月二十四日至十一月二日入園期間，
一律九折兒童價。

一九九七・新兒童憲法

新兒童哲學

從今天起向孩子們看齊，以他們的高度放大萬物，
透過他們的雙眼，重新用一種簡單的方式看世界。

新兒童假期

每個大人都需要小孩來恢復青春和想像力，
陪孩子一起返老還童期限：十月二十四日至十一月二日晚上
十二點。

新兒童慶典

音樂會、現場演唱會、
紙風車兒童劇、佛朗明哥舞、
布袋戲台、娃娃屋展、袖珍博物館……
今天孩子最大，
誠品敦南館竭盡所能，
延長所有人的童年時間。

趁著好奇心還在，把靈感發射升空

小時候，用十塊錢坐一次旋轉木馬，聽一首機器兒歌，
轉動著全世界的童年。

現在誠品開放五個樓層，擴大快樂半徑，以童話改裝，
變身成一座童年旅店，
讓大人的童年追著孩子的童年，童「顏」無忌，
一起瘋狂。

玩得再晚，都不會有人怪你太晚回家。
趁著好奇心還在，
夢想還沒變，把靈感發射升空，
這裡就是你永遠的童年館！

華洋共處的高雄，變得很上海

五〇年代的大新百貨頂樓，五毛錢可以用三分鐘的高倍望遠鏡看美國軍艦。
六〇年代的七賢三路，酒吧女、美國大兵和 The Beatles，
華洋共處的高雄變得很上海。
七〇年代的書包大王，常出現在五福四路的亞洲戲院門前，
排隊看「不清場」一次十元的洋片。
八〇年代，大勇路的「西瓜大王」、愛河邊的「地下街」，
分別在下午四點，晚上八點，男人、女人和學生最多。
九〇年代，在市長民選之後，亞太營運中心之前，
南台灣第一家誠品書店，五月六日將在高雄漢神百貨正式開張！

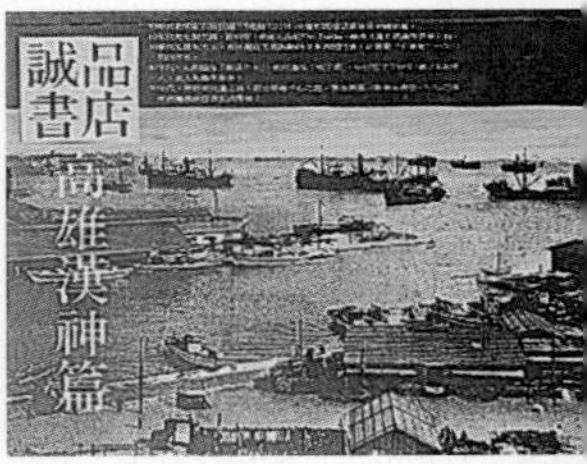

高雄，不馴之地，豐饒之港

五〇年代的大新百貨。

六〇年代七賢三路酒吧和體育場的東方大馬戲團。

誠品書店 高雄漢神篇

5/2 開始試閱
5/6 正式開卷

50年代的大新百貨頂樓，5毛錢可以用3分鐘的高倍望遠鏡看美國軍艦。
60年代的七賢三路，酒吧女、美國大兵和The Beatles，華洋共處的高雄變得很上海。
70年代的書包大王，常出現在五福四路的亞洲戲院門前，排隊看〝不清場〞一次10元的洋片。
80年代，大勇路的「西瓜大王」、愛河邊的「地下街」，分別在下午4:00，晚上8:00男人、女人和學生最多。
90年代，在市長民選之後，亞太營運中心之前，南台灣第一家誠品書店，5月6日將在高雄漢神百貨正式開張！

七〇年代地下街、五福四路的亞洲戲院和三鳳中街的南北貨。
八〇年代的西瓜大王、餃子大王、書包大王和牛乳大王。
關於高雄的過去、現在和未來，
在老一輩的高雄人記憶裡，和中國時報高雄專輯中都有記載。

天母忠誠店試賣篇

關於忠誠與不忠

對情人忠誠。對流行忠誠。對思想忠誠。對欲望忠誠。

天母流行租界區中，一個多種族消費流行熱潮正在蔓延。

所有關於服飾的、生活的、美食的、書本的、視聽的，
過些日子，
誠品天母忠誠店裡你都可以找得到。

誠品天母忠誠店
台北市忠誠路二段一八八號

天母忠誠店開幕篇

以最高的忠誠度向新思想投誠

以最高的忠誠度向新思想投誠。
以最高的忠誠度向新路線投誠。
以最高的忠誠度向新開幕投誠。
以最高的忠誠度向新消費投誠。

一個集結流行、影音、文化、感官的
誠品生活館，
即將在天母忠誠路上精彩開張，
以四個樓層，交換您的忠誠度！

慶祝誠品忠誠店開幕，
一月二十日起，全面九折出軌價。

面9折・會員85折
書展
1月27日，忠誠
誠品書店天母忠誠店盛大開幕
對情人忠誠。
對流行忠誠。
對思想忠誠。
對慾望忠誠。
開幕期間回饋忠誠顧客
1月27日~2月4日

誠品忠誠店的專櫃命名

完全不忠誠的欲望藍圖

衣由心生，非主流穿衣新選區。
身體與衣服的配對遊戲區。
私人品牌，新尺度衣櫃。
新世代創意換裝區。
新風格接班人的話題衣櫃。
衣服與身體的未來進行式。
增加身價的新衣架集散地。
打破慣性，衣服的自由落體區。
自由組裝，自做自售特區。
前衛置裝，數位穿衣法則。

風格想像，身體後設區。
時尚策略，個人美學區。
身體意識，態度演習區。
另類選擇，流行顛覆區。
前衛叛徒的新身體引擎。
個性商標，特色識別櫃。
雙性品牌，別出新裁區。

天母忠誠店樓層簡介

對善變的流行・一向忠心耿耿

忠誠路上・時尚先行取閱館

知識效忠館

衣服是身體的文化，你手上的書，是腦袋的文化。
魅力來自知識的首度引用權，在書店找最新的流行情報，
是這個時代「書妝打扮」的絕對手段。

精品效忠館

在一個不常跟自己溝通的城市裡，
春夏秋冬穿同一個設計師的衣服，是一種最快自我認同的方式。
收集和衣服同一品牌的耳環、項鍊、化妝品、皮帶、鞋子……，
是對所愛的設計師品味，全面而絕對的忠誠。
然後到咖啡廳的落地櫥窗旁喝下午茶，同時在欒樹道上展示你的新衣裝。

名牌效忠館

名牌貴在獨特，貴在驚豔，貴在價值，而不是價錢。
你對秋天的浪漫期望值，可以在一件楓紅色的風衣上得到滿足。
想要在會議桌前展現權力，你不能忘記一件最具群眾魅力的喀什米爾高叉長裙。

美饌效忠館

卡文．克萊出現在比佛利山坎農路上，不是為了女人，而是一盤螃蟹沙拉。
聖羅蘭只要一想起俄式夾山煎餅的味道，幾分鐘之內，人就在瑪德達大道上，大快朵頤。
設計師堅持某種獨特的風味，就像你會在某個品牌專櫃中待上一個半天一樣，樂此不疲。
這裡所有會上癮的美食，都是讓你出現在忠誠路上的各色理由。

關於忠誠與不忠

「多麼好啊！我終於找到一個主題叫做不忠……對他們五個不忠……如果能夠愛上第六個人就可以分別減輕對他們不忠的程度。我認為不忠有一定的量，隨人數的增加而減少……到底要對多少人不忠才能徹底地不感覺不忠呢？」

——夏宇．《腹語術》

所以，我所謂的「忠誠」定義，只是將「不忠」不停地開平方根，不停地分裂給更多的對象，就像任何數字不停地開平方根，第二十六次的結果永遠是1的永遠忠誠。

再見了，誠品忠誠店：

二〇一五年誠品忠誠店要跟我們天母人說再見了，對於寫忠誠店文案的我而言非常不捨。我想對誠品說的是：「如果準備好了，就趕快回來吧！」

誠品台大分校，創立宣言

人造氣候學系。
民眾音樂社會學系。
原子咖啡學系。挪威森林學系。
聲音記憶學系。城鄉互玩學系。
網際網路學系。文化勞工學系。
神話真理學系。事件劇場學系。
經濟動物學系。植物保養學系。
唯物辯證學系。工業神權學系。
耳語感染學系。票房生存學系。
時間預言學系。虛擬經驗學系。
兒童福利學系。文化家具學系。

放射性情緒學系。
顏色心理學系。
野獸派官能學系。欲望學系。
美感殖民學系。食物政治學系。
回憶統計學系。
世紀末權力學系。
文字能量學系。英雄櫥窗學系。
蒙太奇運動學系。
文化裁縫學系。身體氣象學系。

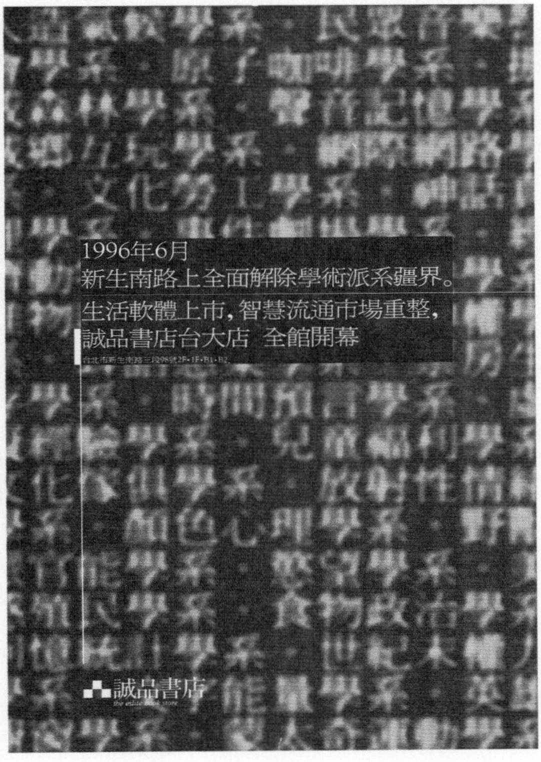
1996年6月
新生南路上全面解除學術派系疆界。
生活軟體上市，智慧流通市場重整，
誠品書店台大店 全館開幕
誠品書店

一九九六年六月，新生南路上全面解除學術派系疆界，生活軟體上市，智慧流通市場重整，誠品書店台大店，全館開幕。

六月十五日，誠品台大分校創立宣言

打破六十八年學院疆界，擴張台大的知識影響力，特於新生南路三段，
台大側面口成立誠品台大分校，
在原校園外增設藝術、人文、生活的思考領域，
成立觀念美術學系、左派建築學系、
風格生活學系、挪威森林學系、Swatch時間學系、
馬汀大夫學系、班傑尼兒童學系、銀鎮人體裝飾學系、另類音樂學系……。
入校者，並享有免圖書證新書閱覽室、最新藝文事件展演中心。

學院外的新學院，為期一百六十五天的智力祕密建校行動，
台大分校，將成為台大文化圈中，
改革思想、另類文化、前衛藝術的新興發源地。
六月十五日開學典禮，
你將成為誠品台大分校的榮譽創始校友，
全國誠品各大分校，同步承認你的智慧學位！

誠品書店
the eslite bookstore
LATTEA
綠蓋茶館
3F
新生南路三段
98巷

發現南京東路的新況味

離開會議發現安靜的快樂，
離開策略發現創意的快樂。
離開同事發現和平的快樂，
離開權力發現安全的快樂。
離開網路發現無知的快樂，
離開鍵盤發現手寫的快樂。
離開飯局發現美食的快樂，
離開辦公室發現新況味的快樂。

美食・咖啡・彩妝・飾品・書店……
誠品南京店，十月十二日全面開幕，
發現南京東路新況味。

現南京東路新況味
發現安靜的快樂
發現美食的快樂
辦公室發現新況味的快樂
10/12
誠品南京店全面開幕
美食.咖啡.彩妝.飾品.
發現南京東路新況味
10月12日
誠品南京店全面開幕

南京東路二六九巷，記錄一段出走後的私生活

上午十一點五十分

膽固醇過高、胃腸長期欠安，
離開排骨便當，基於自保的理由，
改吃淡口味的日式料理是健康的。

下午二點三十分

旋轉木馬式的偏頭痛，沒有咖啡因的焦慮，
丟開工作效率，ESLITECAFE和你的辦公室戀情小小出軌。

下午四點二十分

文件過量、享樂含量不足，離開26℃的冷氣，
YOGEN FRUZ的冰淇淋，和你玩一場不設防的清涼遊戲。

下午五點三十分

老是闖紅燈的欲望，下班即是解嚴，
用MANDY'S的公事包提書香，是一種比愛還危險的勾引。

效率過高，焦慮過夜，
辦公室競技場上人心繭居，不適者也要生存。

十月十二日誠品南京店全館開幕，
給每一個想在壓力中假釋的人，一個隨時出走的私生活。

人聲鼎沸，找一種無聲的智慧

一天之中，行色匆匆。
我們應該還是有
看一本書的時間。

在永和最匆忙的地方，鬧中取「近」。
晚餐之後，失眠之前，
到旅行書區，安享一本《布拉格的散步》。

在永和情節最多的地方，鬧中取「淨」。
遠離追逐，走到清心的健康書區鎮定幾分鐘，
調慢身體節氣，平靜吐納掉焦躁忙碌的一天。

在永和群影雜沓的地方，鬧中取「鏡」，
人多的地方迷失的航向，
到心靈書區，跟著克里希那穆提的途徑找到自己。

在永和最繁華不休的地方，鬧中取「境」。
煮得濃烈的咖啡，和一本莫泊桑的小說，
香味透進意境之中，
我們閱讀到再真實也不過的巴黎下午。

在永和分貝最高的地方，鬧中取「靜」。
與一座知識的後院在地鐵站出口，
轉乘三萬本無聲的智慧。

誠品永和店，地鐵頂溪站出口，悠閒開幕。

西門町新生活片場

西門町新生活片場，一九九七開幕大片
誠品書店西門店OPEN・十二月六日・精彩首映

把新天堂樂園的廢棄膠卷送給男友當皮帶。
用電影院的字幕機宣告自己剛上映的新戀情。
到書店展示阿莫多瓦的高跟鞋。
去New Arrival貨架上翻閱下一季的流行宣言。

依電影配樂更換菜單和客廳的佈景。
胃和樓下的美食自秋之後片約不斷。
伍迪艾倫戲假情真。
費里尼說夢是唯一的現實。
把自己的照片放大做成電影海報，自己做自己一輩子忠實的影迷。

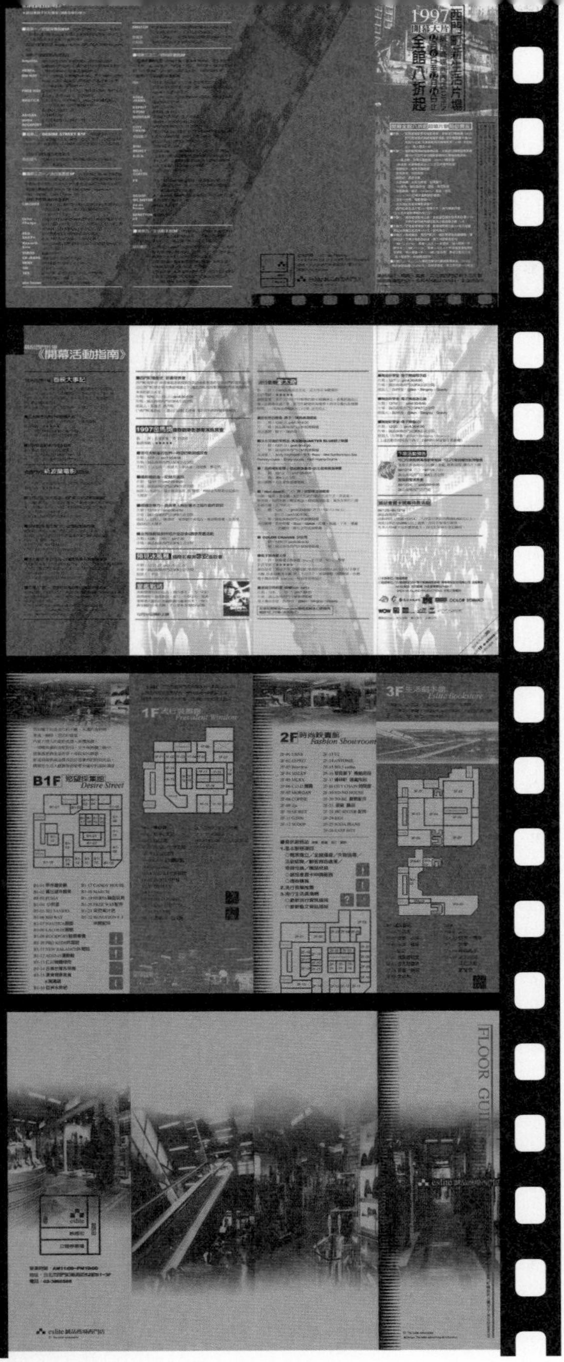

集結流行、電影、美食、服飾、藝文的西門町新生活片場—
誠品書店西門店．十二月六日精彩OPEN．全面通告中。

開幕全館八折．超值片酬．勢必賣座

片酬一／電影劇情用品．抽獎搬回家
片酬二／發票換電影票：開幕憑發票，送一九九七金馬獎電影海報、院線片電影票
片酬三／早場優惠特別大禮：開幕期間，每日前二百名送電子舞曲CD或電影VCD
片酬四／票根換咖啡：西門町任一戲院票根，免費換一杯咖啡，讓你回味一下剛才電影的餘味

特別情商口碑場

十一月二十日誠品VIP會員Pre-sale，各櫥窗優先試片

誠品西門片場消費指南，歡迎依喜好自由運鏡，剪接你的滿足感

場景一：3F

電影（高山上足球盃）的導演宗薩仁波切說：

自己是自己的導演、自己的製片、自己的演員、自己的觀眾。為了導演一齣很棒的戲，到書店去找自己下一部劇本——以包羅萬象的書、文化商品為創意劇本，供給你自編自導，下一階段獨一無二的生活大戲……

場景二：2F／1F

人生如戲。流行的星探們，提前張羅下一季演出的行頭：

以國內外知名品牌服飾，提供最時尚的戲服選擇，讓你在自我的生活大戲裡，扮演最出色的明星風采……

場景三：B1

依氣溫更換生活佈景．尋找家的創意新道具：

提供高品質及設計感兼具的時尚用品，構築你生活大戲裡每個重要分鏡中的品味場景……

場景四：B2

胃和樓下的美食片約不斷．永遠的食物戀：

美食、咖啡、芭比的盛宴、巧克力情人的電影食譜，具體而為。
一場嘴與鼻的食慾對白，全天候熱騰上映中……

誠品西門店，各季ON SALE活動主題

電影一刀未剪才好看，衣價一剪再剪才划算。
——誠品西門店・全面剪接冬季價格・冬季ON SALE・全館七折起

關於誠品西門店的片場概念

還記得前幾年的金馬影展，捷克導演 Jan Sverak的作品《光纖電人》（Accumulatorl）嗎？這部片在講述一位名叫 Olda 的男子，終日沈迷於電視螢幕前，最後竟被電視機吸走了他的靈魂，游走在電視裡各個頻道中——有時在中古世紀戰爭片現場，有時在新聞即時播報台旁，有時則置身在連續劇的佈景後……他走進了電視的立體世界中，時空交雜，是一部想像力十足的魔幻寫實片。

誠品商場西門店，就開在西門町電影街，也就是在今日百貨的舊址上。它所處的位置，宛如在各大影片場景的中心點，或許左邊正熱熱鬧鬧地上演著《星際大戰》，右邊則神祕地回到了《侏儸紀公園》……置身在這個跨時空、跨國界的台灣好萊塢電影街廓中，誠品商場西門店，將可以完全保有電影的想像力，演員的生命力，舞台經驗的櫥窗設計……所以，它被定位成了「一個集結流行、電影、美食、文化的西門町新生活片場」：三樓是以「生活劇本館」為名的誠品書店，二樓是以「時尚映畫館」為名的魅力商品區，一樓是以「流行裝置館」為名的名牌服飾區，B1則是以「欲望採集館」為名的美食區……宛如走進一個流行的大片場，隨意地置裝、採購行頭及佈景道具。

在十二月六日開幕期間，數十種不同的電影主題活動盛大展開，例如：開幕殺青酒會、經典電影配樂演奏會、西門町文化史料展、波蘭手繪電影海報展、光復初期電影看板畫師現場表演……吸引了上萬人潮即興參與，叫好又叫座。

除此之外，開幕廣告的文宣，則將電影與人生做個反向思考：整個誠品商場西門店，給人置身在電影流行片場的錯覺，而消費的目的，就是希望所有人，能從這裡、從電影帶走一些生活的靈感及能量，回到現實生活裡。除了把膠卷當皮帶、用電影字幕機表白外，你也可以用打光機當檯燈，用片匣裝情書，用打板留言……所有電影的道具，都可以是生活上的創意，更重要的是，從電影中找到新的人生觀，不做別人的替身，把自己升格成人生電影的主角，這就是誠品新生活片場的新世代主張！

誠品西門新勢界

影音·情報·流行·享樂版

後天異種混血·新勢力接班新世界，
你終於可以親身實現虛擬自己的過程：
把自己變成複數，多重實驗你的各種人生版本。
你的眼睛是最快的搜索引擎，
櫥窗成了你看過最大的PDA視窗，
一個個都是與你一般高的動漫人物，你不興奮嗎？

西門新攻略手冊：決戰五重天

安裝好程式，開始和你的戰友們，玩真人版的角色扮演遊戲

直奔二樓，插進變裝加速卡，下載衣勢力試玩版，決定自己的身分階級：

世紀帝國元帥
城堡公爵
恭親王
教皇
尼古拉二世
神鬼巫師
星際大戰指揮家

設定好自己上半身的顏色，在鏡子前而不是電腦螢幕前面，當場修改自己的形象：

戰場紅
極速黃
原野綠
魔幻紫
海底藍
阿尼橘

在這城市冒險要有新裝備，加裝下半身動力系統：

有攀岩功能的吊帶
半截褲拉鏈，可長可短，符合逆向關節
其他

用衣服的生產地，決定自己的血統（請先用WAP手機占卜）：

日本武士
法國貴族
美國辣妹
美日混血女
日法混種男
其他

潛入三樓找最炫的飾品，鑲進自己的頸、耳、手、腳，決定自己的種族圖騰：

閃電金鍊
魔法戒指
太空項圈
靈光手環

然後祕密改教、改年代、變髮、變色迅速，沒有來得及抓到你：

金庸年代・小龍女式長髮
星際未來紀・女戰士紅色短髮
蠻荒原始期・女巫銀白色捲髮
其他

入侵四樓，與死黨部署好自己的隨身部隊成員：

變型金剛
烤焦麵包
壽司貓

趴趴熊
四賤客
其他

玩音分子者移動到音樂DJ城，決定接下來攻城的背景音樂：

混音舞曲
電子音樂
抒情歌曲
聖樂
其他

攻下一樓，以鞋跟設定自己的高度，改變自己的比例：

戰士運動鞋
忍者純布鞋
微高淑女鞋
極高美少女厚底戰鬥靴
終極殺陣直排輪鞋

再去彩繪區畫好你女巫的首頁，設定好變形人格，用亮光粉勾出法術的效果：

致命銀
魔媚藍
烈陽紅
神秘紫

收到簡訊，與同伴相會，回到四樓美食基地，集體補充身體能量：
日式料理
愛爾蘭酒吧
貝里尼義大利餐廳

電能充足後，依密件指示潛進人類最大的情報局：誠品書店
目標／謀掠別人智慧，增進星球文明
指令／接受下一次益智任務，大量流覽：
　個人流行情報
　愛情羅曼史
　自助旅行藏寶圖
　遠古神話傳說
　東洋漫畫書

最後一關，直攻五樓取得遊樂制空權：
攝影棚走SHOW舞臺
舞力競技場
娛樂天堂

未來，就是完成極限，想像變成真實的時候
西門町最酷的人生遊樂平台—西門新勢界，在電玩裡已經習慣上山下海的你，整整五層樓、五個行動回合，網上再高段的招式，在這裡都要秀真功夫。

有最發達數位光能神經細胞者，
請練到九九級轉生，發揮最大的人格聲統效果。
最多人同步角色扮演，
讓你當眾玩遍數百種最HIGH的品牌劇情結局。

誠品商場西門町新世界店，完成人類科技想像的極限空間，
已經實現的虛擬天堂裡，有最寬頻的SHOPPING街道、
超大容量的流行情報檔案庫、
最真實的生活遊戲介面、與真人真事第一線交手互動，
當下意念啟動，
不必等下載時間，只要等電梯時間，
就可以身歷其境青春的動線，
不怕被電腦病毒癱瘓你的行動力。

創始期間，來西門新勢界，就送有翅聖獸。

樓層命名
用舞步畫分自己的轄區，各樓層網域攻略圖
一樓www.流行彩妝.eslite.com
二樓www.服飾配件.eslite.com
三樓www.前衛沙龍.eslite.com
四樓www.音樂美食.eslite.com
五樓www.影音舞場.eslite.com

板橋車站•擴建一座幸福的轉運站

到了車站，進哪一個月台，就決定了轉運的方向。

從板橋，東往台北，西向樹林，北上新莊，南下中和，
好像想去哪裡，只要一進火車站，都一定到得了。

一九九八年十月，板橋車站，
即將正式啟用一座幸福的轉運站：誠品板橋站，
全棟十層樓，宛如通往各種心境的大型轉運台，
幾秒鐘之內，在各個月台成功地轉換家的氣氛、
爸爸和女兒的關係、
朋友的交情、情侶的對待、
甚至轉變了一個人的運勢未來……。

你可以發現更多的路徑，心情像身體那樣自由移動，

所有的幸福都可以迅速抵達，跨足可及。

誠品在板橋的幸福轉運站，通車時刻表
試乘時間：一九九八年十月七日至十二月三日
啟用時間：一九九八年十二月四日

如果心情可以像身體那樣自由移動，那麼所有的板橋人，一定會過得比現在更幸福。1998年12月，板橋車站，即將啓用一座幸福的轉運站。誠品板橋站，全棟十二層樓，宛如通往各種心境的大型轉運台。幾秒鐘之內，在各個月台成功地轉換家的氣氛，爸爸和女兒的關係，朋友的交情、情侶的對待，甚至轉變了一個人的的運勢未來。在這裏，你可以發現更多的路徑，更多的可能，更多的生活出口，所有的幸福都可以迅速抵達，伸手可及。誠品在板橋的幸福轉運站，啓用日期：1998年12月4日
Grand Opening
誠品商場板橋店/台北縣板橋市中山路一段46號(02)29598899
幸福轉運站
98' 正式開幕 12/4
B1~6F即日起試賣中
eslite誠品商場板橋店
3F
1F
2F
4F
B1
喜悅滿額送
eslite誠品商場板橋店
1998年10月 板橋車站
即將正式啓用一座幸福的轉運站
誠品在板橋的 幸福轉運站
試乘時間：1998年10月1日開始
帶著你的試乘券來發現折扣的驚喜、享受滿額送的喜悅
試乘折扣優惠
10/1~10/19
B1
GF：商品全面八折。
KIDDY LAND夢奇地：
商品全面九折、憑學生證或夢奇地、誠品生活卡可再享九五折。
點睛品：精選金飾系列手工七折，黃K鑽石系列七折。
1F
NINE WEST：商品全面八五折(10/1~10/5)。
ELLE：商品全面九折。
BURG：正品全面九折。
DARPHIN：
商品全面九折，購滿4000元任何精華液八五折。
安東尼：商品全面九五折。
2F
PEPE JEANS：商品全面八折。
IF：
商品全面八折起(秋冬新品持誠品生活卡或IF貴賓卡九折)。
3F
寶儷妮可：商品全面八折。
無尾熊：商品全面八五折。
KARST：商品全面八折。
IF：商品全面八折起(秋冬新品持誠品生活卡或IF貴賓卡九折)。
JOJO：持誠品生活卡或JOJO貴賓卡九折。
指甲彩衣：Going指甲彩衣(12cc)原價440元 買2瓶九折，3瓶八五折，5瓶八折(加贈神秘子彈、彩繪戒指乙只)。
4F
MANDY'S：
商品全面九折，英國進口真皮Antler旅行袋回饋價五折。
德揚行：商品全面八折。
KIDDY LAND
B1 持本券可免費兌換米奇造型鑰匙圈乙個
每日200名，送完爲止。
資生堂新品上市發表會10/2(五)~10/5(一)地點：1F展示空間
1F 持本券可免費兌換EI(NA)粉底試用品乙份
10/1~10/5，每日200份，每人限兌乙份，送完爲止。
HYPANIQUE新品上市發表會10/16~18地點：1F展示
1F 持本券可免費兌換「複合精露調理系列」
試用品乙支，送完爲止。
KANEBO
1F 持本券可免費兌換靚蘭皙兒活力嫩白露或
新色唇彩卡或新色凝彩盒，10/1~10/25每日前30名送完爲止。
KOSE
1F 持本券可免費兌換精美見面禮
10/1~10/7每日前20名送完爲止。
A-BOME
1F 持本券可免費兌換零錢包乙個，前20名送完爲止。
DARPHIN
1F 持本券可免費兌換膚質試用品2瓶，10/1~10/11送完爲止
安東尼
1F 持本券可免費兌換「摯愛手扎」乙本
每日限前20名，送完爲止。
CITY CHAIN時間廊
2F 持本券並填寫個人資料即可免費獲得

幸福轉運月台．最新版指南

第十一月台．創意轉運站

創意是用光年計算的，檔案在這層開啟，所有的神話和幻想，
表演和展演，都享有最大的治外法權。

第十月台．歡樂轉運站

歡樂和夢想在同一個對流層，
大人和小孩在同一個年齡層，虛擬實境，
提供你迅速脫離現狀的捷徑，這裡是笑聲最頻繁的路線……。

第九月台．美食轉運站

找一個好餐廳，度過兩小時美好又美味的用餐時間——
我們需要各國各式的美食，來料理一成不變的生活，
順便調劑一下聚少離多的感情……。

第七、八月台．知識轉運站

迷信村上春樹，可以讓你遇見百分百的女孩；信仰彼得．梅爾，
可以教你一生受用的品味。
在這裡，你可以藉著大量閱讀，自由地轉進上萬個豐富的心靈出口……。

第六月台．逸樂轉運站

趁新世紀還沒到家，趕快找齊新配備改裝後現代。
更香的咖啡機，更好看的DVD，聲色味俱全的家，比PUB更有親情，
就更有理由找酒肉朋友來享樂！

第五月台．活力轉運站

這裡是最沒有地心引力、最容易出汗的地方。
活力無邊，絕對有足夠的能量，足夠的裝備，
補給妳走到下個世紀。

第四月台．風格轉運站

珠寶的風華，皮件的風情，絲巾的風采，孩子的風光，
這裡每個人都有形成風潮的實驗空間，練習你的風韻風姿。

第三月台．青春轉運站

詩人說，年輕是一生唯一的一次奇蹟。
在這個不老的時光隧道裡，可以讓你和一隻無尾熊，
用加量的青春，延長奇蹟的存在⋯⋯。

第二月台．流行轉運站

流行的靈敏嗅覺，導航你的視覺。
第一手的服飾、配品情報，
減少你與別人重複的擦撞⋯⋯。

第一月台．時尚轉運站

用更高標準的美學，抵抗現實的不完美。
世界最頂尖大師的作品，在這裡形成十分賞心悅目的盛況，
你是參與時尚內幕的首要目擊證人⋯⋯。

地下月台．生活轉運站

省下長途飛行與轉機的時間，從這裡可以通到韓國吃烤肉，

在歐陸品味一份午時簡餐，飯後再來一客義大利冰淇淋，
並到日本雜貨店做一天的哈日族。
時空迅速轉換，完全沒有時差……。

一個很好玩的諾亞方舟，現在出發

諾亞方舟首航宣言

西元一九九九年即將來臨，我們急需一艘諾亞方舟：
以自由為底板，以青春為燃料全速前進，無邊界地航行。

立起一根夢想的支柱，
將萬事萬物縱橫成船的骨架，連夜搭出歡樂的甲板，
升起冒險的風帆，提前航向新世紀，率先體驗流行。

誠品龍心店，一個很好玩的諾亞方舟，現在出發。

【註】諾亞方舟：自由・年輕・流行先行體驗館，食、衣、住、行、育、樂一次全滿足的地方

【全館服飾3折起】
6F HELLO KITTY
25週年限量發行紀念商品
年少輕狂
『七夕戀情・珍愛表白』
'99情人選商品 心動推薦
5F 體能回力館
6F 生活減壓館
4F 都會演練館
8F 誠品書店
9F 夢幻料理館
空前『截』後
截角
ETUDE
美體考究
時間廊
誠品商場龍心店
information
『愛情眞偉大・雙重歡樂送』
「Mr Friendly」傳呼機快樂送
『高空彈跳』驚駭超値送
『高手盃模型大賽』
愛情眞偉大 抽獎活
姓名：
年齡
電話：
住址：
身份證字號：
PIZZA HUT
陪你一起暑修
Final Sale
春品上市
全館服飾8折起
好康的

新世代諾亞方舟的駕艙手冊

跳過世紀末，提前向新世紀投誠：
新世代諾亞方舟啟航處，
請立即找到它的蹤跡。

B1．時尚發表艙

現在流行什麼？不必再偷看別人，
流行的第一手情報，就在這裡的每一個衣櫃裡。

1F．精品展示艙

等到獎金、等到中獎發票、等到意外之財，
就在這裡挑個東西犒賞自己，取悅情人，
或是報答恩人。

2F．個性營造艙

如果不想從穿著打扮就被人歸類成X、
Y、Z世代，用創意調配新特徵，重組你
的新出生血統。

3F．青春複製艙

羊肉爐到處都是，青春稍縱即逝。擁有一
百隻複製羊，不如擁有一座五光十色的青
春複製艙，冷藏永遠的YOUNG。

4F．都會演練艙

年輕的外表，也可以有老練的手腕！
這裡是上班族補足裝備，補充能量，
小試身手的大場合。

5F．體能回力艙

換一條牛仔褲，比吃一顆威而鋼還有效。穿一雙喬丹鞋，比贏十場球賽還過癮。休閒不是老年人的特權，有閒沒錢，也要來這裡Relax。

6F．生活減壓艙

自由之下，解放有理。我們的壓力，從一出生就開始——非常需要找一些可以解放身體、頭痛、可以滿足心理和生活的配備，讓HAPPY賺回一點年輕的本錢。

8-7F．意識活力艙

誰說年輕人只有漫畫和KTV？除了教科書和日本偶像劇之外，這裡是我們深化腦力的加油站。

9F．夢幻料理艙

夢幻料理人，台灣也有。夢想中的大廚大餐，牛排西餐，這裡都能滿足一觸即發的食慾。

10F．文化美容艙

別人做臉、塑身體，我是用音樂、戲劇、展覽來活化靈魂，美容氣質——這裡是我和死黨們，每週必到社交沙龍。

末世紀的創世紀宣言

一個人在伊甸園裡忤逆了上帝，全人類都背了罪；
一個人在十字架上被釘死，贖了全人類的罪。
波赫斯覺得很不公平，只好默許叔本華所說：我，就是所有的別人。

西蒙尼第斯發明記憶術：波斯國王塞魯士可以叫出他軍隊每位士兵的名字；
密斯瑞戴登斯、優派特，能以二十二種語言執行法律；
梅綽朵勒士，能一字不漏地複誦所有他聽到的話。

以上所有驚人的記憶力，在《博物學》上都一一明列，
所以只要帶著這本記憶，上諾亞方舟即可。

至於在方舟上面，我們將採行十七世紀洛克一度主張、但因數量過多而放棄的命名學：
一種給予每顆石頭、每隻鳥、每條樹枝、每片樹葉名字以區別彼此的方法。

唯一擔心的是，鐵達尼號在二十世紀初撞上冰山而沈入海底，
那麼，準備航入二十一世紀的諾亞方舟，能讓我們倖免於難嗎？

在有味覺的果園書店，為愛人買菜，給自己買書

誠品書店高雄SOGO店，二〇〇一年九月五日新開張，歡迎帶著菜籃來秋收知識！

為愛人買菜，給自己買書。

離開廚房爐火，提著菜籃到書店找新的烹調創意：
在詩的牧場，收割一本能聞到野香的《草葉集》。
到文學農莊，採摘一本剛上架的《番茄》。
輾轉採集有味道的知識，找幾本合你口味的書。
用營養與卡路里考慮書／果的綜合菜單。
走之前記得帶一本作家寫的食譜，
或是架上有水果名的詩集，
放進盛滿青菜、麵包和書的菜籃裡。

在廚房弄張小躺椅，悠閒地度過火候時間：
讀完泰戈爾的《採果集》，用油醋和橄欖醃的蔬菜應該入味了。

意淫完伊莎貝拉・阿言德的《春膳》，感覺到煙熱，
燉牛肉湯就可以起鍋。
逛完一圈彼得・梅爾的《茴香酒店》，聞到微焦香味，
蘋果派已經烤好。
作家的靈感是有味道的，能幫你用感情料理三餐，
用唇嘗一杯葡萄酒和消化一整頁的愛情。

誠品書店就在高雄SOGO百貨樓下，在最新鮮的超市對面。
讓書本跟著蔬果有季節變化。
你每買一本書，我們就送一顆剛採下來的新鮮檸檬，
讓每本從這裡帶回去的知識，一剖開都有維他命C的味道……
九月五日，請帶著你的好胃口
來秋收最新鮮的智慧！

書店全面時令價再打九折・會員八五折
書店裡的假日廚房・用味蕾閱讀・可口的特惠：九月五日至九月十六日
新開張書展，驚喜不斷：
「味覺書展」有味道的書，一律八折。「百匯書展」一律二百元特價，任君配食。

向天展頁的中國新文明

線裝書，是中國書籍裝幀形式發展的一個重要階段，
藏書家們視收藏經典線裝書為驚奇的志趣。

線裝書以手工將一頁頁的平面知識串起，
以線縫合成了一件智慧的立方構體，
線裝書因此成了中國古文明經典的象徵之一。

於是，在中國南方重要的汕頭大學圖書館案中，
我們直接取「線裝書」的意象，作為俯瞰此案的建築盒體，
象徵這是一本自南方大地生起、浮在水面半空中、巨幅向天展頁的中國新文明宣示。
源自東方精神的巨型線裝書盒體，其收藏全世界知識的野心，
不亞於埃及亞歷山卓圖書館—收集所有被歷史保存下來的先人智慧，
後代的求知若渴者，進入這巨幅的知識理路，採集並交融出新的體悟。

廣東省汕頭大學圖書館提供

新生的能量，再度由這個線裝書盒流向大地四方，
盒體盒外，百花齊放，眾聲喧嘩。

整個線裝書的建築盒體，採用多層次的細部安排，
透過天窗與天橋，引入光與影、雲與水的自然穿透效果；
迴旋梯與三層高書牆，閱讀者的動線，成了穿梭在這巨型線裝書盒裡的視線軌跡，
亦是一個可被窺見的知識神經網路系統——
有趣的閱讀與藏書巨盒體，
讓書與閱讀者、古人與新人、人與科技、科技與空間、建築與自然之間，
交流成了新介面的天人合一，
宛若一首意境超然的「田園詩」氛圍，
亦是一個片刻即永恆的大器空間。

田園詩，是中國智慧文明史中，最具禪意的表現，
真正體現天人合一：人與自然和諧的、超然的、合一的生命史觀，
也是東方足以向西方支配性、分類化之知識系譜，對應與對話的哲學平台。

而這個已達「田園詩」至極意象的東方圖書館，
置於汕頭大學校門的綠軸帶起點，更具意義。

空間分配介紹

知識的天人介面：（雲星閣＋巨幅書牆）

這是書的百庫介面，知識的多層理路。閱讀者穿梭在三個樓層其間，彷彿是在書與書之間穿針引線，裁縫出屬於自己的知識版本。

從圖書館各角落都可以望見這巨幅：鮮活的知識採集者群像，亦是一幅動人的知識遷徙圖。

白天的晨光、夜晚的星月，日以繼夜地為知識點亮了恆久不滅的光明，指引著明日世界。

來自上方的光與雲，來自四方的風與水，讓知識、自然、讀者，形成了一個循環生生不息的智慧對流層，亦讓王維「行道水窮處，坐看雲起時」的生命哲學在此體現。

知識的梯田：（階梯自習室）

可容納四百人同時在此，宛如一個知識的梯田，所有的好學者在此俯首耕耘。

廣東省汕頭大學圖書館提供

在埋首探索知識之旅的片刻，面向虛擬竹林柱間不動的遠山與多變的浮雲，超然的視野，讓閱讀者得以當下了悟書本背後，智者在面對大自然、面對生命那種無法言傳的感動與頓悟。各時空的智慧，於此瞬間呼應與傳遞，藉著春耕、夏耘、秋收、冬藏的四季運行，每位展書者在此獲得生息、慰藉、了悟，以及來自智者與大自然原生的涵厚力量。這就是此「知識的梯田」所欲形成的：一個得以讓稻苗長成稻穗、知識蛻變成智慧的空間，亦是「採菊東籬下，悠然見南山」的哲學意象在此活現。

知識的廊谷：（閱讀長廊）

整排天窗借光，兩岸有書，岸間形成了眾人閱讀的廊谷。走到終點，就是一個迴旋向上的知識階梯，亦可視為企圖接近天、接近真理的天梯。

建築意境在此，每個人從各個角度，都能看到不同的啟示與感動，眾人在此各自形成了新的生命哲學。陶淵明的「晨興理荒穢，帶月荷鋤歸。道狹草木長，夕露沾我衣。衣沾不足惜，但使願無違」，就在這知識的廊谷裡，就在日以繼夜地耕耘與收穫中完成了。

E

人・書・書展

你未讀過的書。你打開前已讀過的書。如果你的命不只一條，必定會讀的書。目前太貴，必須等到清倉拋售才讀的書。可以向人家借閱的書。人人都讀過，所以彷彿你也讀過的書。好久以前讀過現在應該重讀的書。你一直假裝讀過而現在該坐下來實際閱讀的書……。

——伊塔羅・卡爾維諾《如果在冬夜，一個旅人》

看不見的書店

所有創建一座書店的欲望，
所有關於一座書店所創建的各種欲望，
都即將在這裡發生。

這是一個「看不見的書店」，
它是全新的，
你可以盡情地提供對新書店的期待、
幻想、欲望、改革意見……，
成為書店的主人。

形式不拘。
你可以藉用任何文字、線條、顏色、影像……
描繪縱馳夢想的、幻麗奢華的、異想天開的、私密個人的、異國偶遇的……書店，
我們不設限所有書店風情展現的可能性。

圖／王庫

我腦海中那一座看不見的書店

如果有一個書店，有氣候、有氣味、有情緒、有突發事件，不是中央統一空調的恆溫書店——中午有雷陣雨，下午有回教徒向阿拉跪地禮拜，地上有香港地下鐵的彩色路線圖，牆上有街景，電線桿、碼頭、氣象台、旅館和電話亭，傍晚有蔥爆牛肉和麻油腰花的腥酒香⋯⋯。

如果有一個書店，是市集，是另一種型態的菜市場，可以買到剛從打字機打出來，像麵包剛出爐般新鮮的情緒，可以買到一攤攤散裝的書頁，只選擇合自己口味的各種素材。例如可以選擇夏宇《摩擦、無以名狀》中的「橘色條紋寓言」，再配上尼古拉斯・柯瑞琦的《流行陰謀／名牌時裝帝國》的序——完全依今天的口慾，或是不自作主張地參考「書店食譜」，計算知識卡路里後均衡選配都可。然後用菜籃子到櫃台稱斤計兩，並可享有隨意抓幾把蔥蒜醬油為佐料之順手牽羊的小小犯罪快感。如果要附帶水果的木箱，箱底用波特萊爾的詩屑絲，襯著抵消搬運時的摩擦力，只需再加一百元⋯⋯所有創建一座書店的欲望，所有關於書店所創建的各種欲望，都即將在這裡發生。

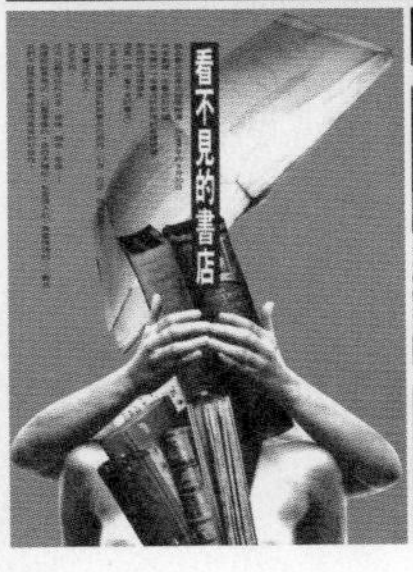

一九九四，台灣一項閱讀革命正在進行

情色書籍

究竟性學是一門人人須知的學問，還是只是知識分子意淫的工具？當性學開始取代健康教育第十四章；當情趣商店與情色書籍一起熱門；當藝術電影與色情電影間的尺度開始因模糊而曖昧；九〇年代的台灣，你被允許在光天化日之下，翻閱一本本禁忌的圖片與敏感的書。

心靈書籍

當人不再相信政府，當人不再相信愛情，當陰寒的天氣和憂鬱症一起滋長，當三毛的自殺事件與前世今生的精神自療互為因果，當心靈書籍隨著失意人口增加而快速暢銷，若你想依靠的不只是佛陀或基督，你可以選一些禪書或心靈書籍。

兒童書籍

當毛毛蟲實驗學校與森林小學令人注目的這一年，當受虐兒童的成長速度趕不上兒福法的制定，我們規劃了一處「童話與童畫」兒童保護區，與你一同來保護瀕臨絕種的快樂兒童。

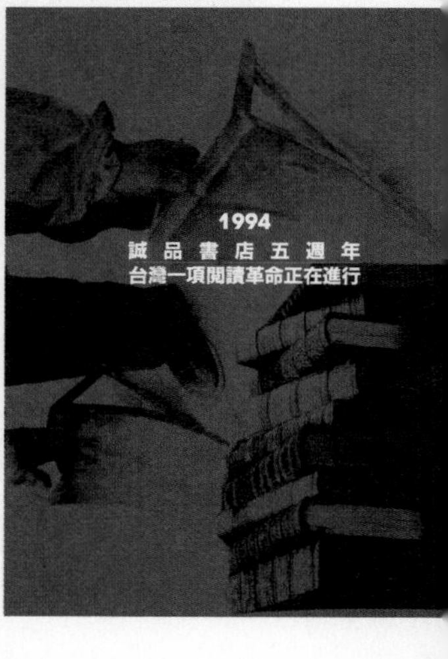
1994
誠品書店五週年
台灣一項閱讀革命正在進行

兩性書籍

為什麼一九九三年的鄧如雯事件，不是台灣第一次的殺夫事件？為什麼占全台灣人口的女性，卻只有個位數的女性市長？如果你對性別認知或兩性關係懷抱興趣，可以來找你要的書。

【九〇年代閱讀現象】座談會

一本書，可以反映一個時代的社會現象及文化風貌。
在誠品書店滿五週年慶的大日子裡，我們特別安排了五場座談與您一同感性地歡渡生日，理性地探討九〇年代閱讀現象及趨勢，過一個豐收的心靈盛宴。

日期	場次	時間	主題	與會者
3/26 (六)	1	1:30～3:30PM	「閱讀的新疆界」——色情書籍審查 長久以來爭議的議題：「藝術與色情的界定」，到最近蔚爲風潮的性學書籍，官方與民間的尺度總是合不在一塊。究竟性學眞的是一門人人須知的學問？還是只是知識份子意淫的合法工具!?而這些愈來愈大膽的書籍，忙著暢銷之餘，它對社會造成影響有多深遠？值得您與我們一同來辯論與探討。	主持者：張大春 審查者：王更陵 評論者：王墨林 作者：李元貞 業者：杜潔祥
	2	3:45～5:45PM	「閱讀的新藥方」——心靈書籍 當人不再相信政府，當人不再相信愛情，當前世今生的書隨著失意人口的增加而加……只想找一些有心的人，來談心、談……死、談談未來。	主持者：張大春
	3	7:00～9:00PM	「閱讀的新童年」——童話與童書…… 從過去兒童文學的文字閱讀，演……目的圖像閱讀，面對與一代代兒……童文學新趨勢，兒童的閱讀何去……	
3/27 (日)	4	1:30～3:30PM	「閱讀的新性別」——兩性研究面…… 「第二性」反擊？兩性的戰爭從……至今未有任何休戰的跡象，女性……的焦慮，「反省」與「反挫」成爲……題。面對世紀末性自主與同性戀……演了何種角色？	
	5	3:45～6:00PM	「閱讀的新生態」——世紀末的挑…… 在'94年的今日，除了探討上述……就整個文字閱讀的總體趨勢，邀……版業者，以及對文化嗅覺敏銳的……討論90年代所面臨的挑戰與變局……	

■主辦單位：誠品書店
■協辦單位：中國時報 人間副刊
電視節目 縱橫書海（製作主持：張大春）
（定4月7日台視頻道 每週四11:10PM播出）
■地 點：誠品書店敦南店・B1藝文空間
■免費入場・歡迎參加

【九〇年代閱讀】主題書展

展出一：《童話與童畫》
當毛毛蟲實驗學校與森林小學令人矚目的這一年……速度趕不上兒福法的制定，我們規劃了一處「童……保護區，請您一同來保護瀕臨絕種的快樂兒童。
展出二：《情色乎？色情乎？》
當性學開始取代健康教育第十四章；當情趣商店……；當藝術電影與色情電影間的尺度開始因模糊而……灣，您被允許在光天化日之下，翻閱一本本禁……
展出三：《剖析心理、找尋自我》
當陰寒的天氣與憂鬱症的病患一起滋長；當三毛的……生的精神自療互爲因果；而您想依靠的不只是佛陀或基……擇一些禪書或心靈書籍。
展出四：《兩性研究面面觀》
爲什麼1993年的鄧如雯事件，不是台灣第一次殺夫案!!爲什麼占全台灣½人口的女性，卻只有個位數字的女性市長？如果您對性別認知或兩性關係懷抱興趣，可以來找找您想要的書。

【誠品選書】特展

我們不選：已經再販的書、沒有版權的書、會被時間淘汰的書，以及媚俗之作。

我們選的書：學術、專業、一般均可，議題不一定要嚴肅，但要有創作與出版的誠意，所以它可以是任何一種書。

秉持著這樣的信念，誠品選書走過了一年餘，亦歡迎您推薦好書，讓好書在誠品不沈默。

分享誠品書店五週年慶欣喜

1994.3.26～4.5週年慶期間，誠品書店全面9折，會員85折
凡於週年慶期間，於書店內
購滿1000元，即贈"A Book of Books"杜可風拼貼作品集乙冊
購滿1500元，即贈"A Book of Books"乙冊＋誠品書店九折券乙張
購滿2000元，除加贈上述兩樣贈品，再加贈誠品精製「藏書票手記」乙冊(只送不賣)
(以上贈品均送完爲止，敬請把握)

誠品書店 台北天母店

1F
誠品選書／雜誌期刊／漫畫
2F
文學／美術圖書／中國文化／表演藝術／攝影／企業人叢書／語言、工具書
3F
室內設計／運動休閒／旅遊／兒童文具禮品／兒童繪本／兒童文學／兒童美育／兒童自然科學／親子教育
文具禮物／海報卡片

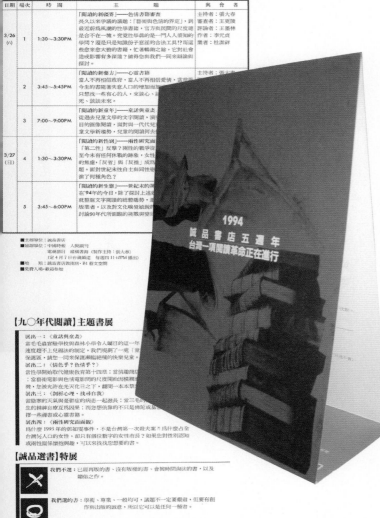

對書的一〇〇種偏見

九九九八個人打開過咖啡館的門
八七七八個人參與了流行陰謀
六〇〇六個人走進文化苦旅
五九五九個人知道了台灣賞樹情報
一〇〇一個人使用過香水
九九九個人目擊到戴眼鏡的女孩……

對書的一〇〇種偏見，來誠品的一〇〇種理由，
誠品書店一九九五年度書籍排行榜，
請你前來清算文化帳目，告解你的偏好！

無可取代的偏見

「你為你的玫瑰花所花費的時間，使你的玫瑰花變得那麼重要。」

——安東尼・聖修伯里《小王子》

對無農藥的綠色蔬菜一向偏食，對紅裙短髮的女孩一向偏心，
對德製的BMW雙門跑車一向偏好，對留山羊鬍的牡羊座男人一向偏愛。

每個人心目中都有一本無可取代的書。

正因為每個人都有自己的偏見，異中求同，
誠品書店TOP一〇〇排行榜書展，
便成為台灣菁英取向的年度文化指標。

有史以來，咖啡因最多的書展

歌德。叔本華。尼采。李斯特。西班牙廣場。克里克咖啡館。
白先勇。黃春明。林懷民。五〇年代。現代文學的明星咖啡店。
巴哈。海頓。舒伯特。即興演奏。深夜打烊的音樂咖啡館。
余光中。洛夫。楊牧。無限續水的衡陽田園咖啡廳。
我不在家，就在咖啡館；我不在咖啡館，就在往咖啡館的路上。

有史以來咖啡因最多的書展，
一九九五年四月八日至三十日，誠品邀您酗咖啡。

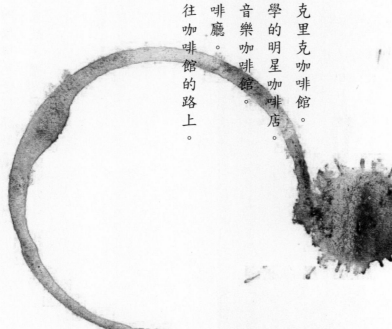

書桌上的咖啡書，咖啡桌上的歐洲

把中間位置留給哲學家的維也納Café Sperl。
一個門通往天堂，另一個門靠近地獄的Demel。
三十六法朗，左岸最貴的巴黎Café Aux Deux Magots。
一直延畢的老大學生，視Café Haag為維也納咖啡大學。

六十多家有故事的咖啡館，都在歐陸，
都在張耀的《咖啡地圖》裡，
正靈感沸騰地煮出咖啡香……

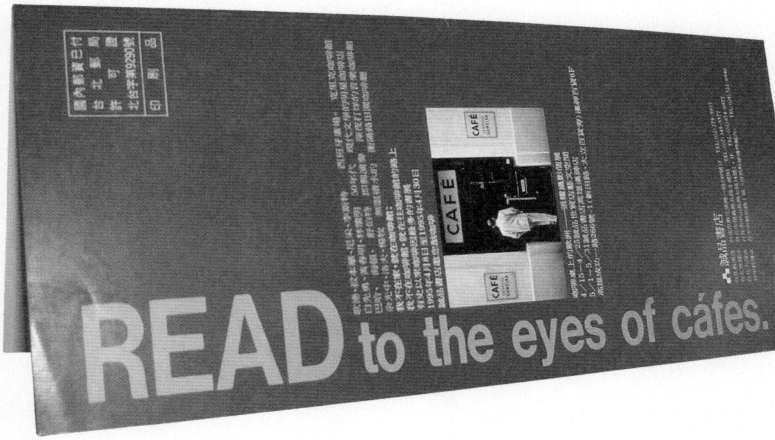

戲夢人生，日以繼夜

美國導演科波拉拍電影，是為了要還清過去拍片的累債。
德國導演溫德斯拍電影，是要紀錄所有事物消逝的過程。
加拿大導演丹尼爾拍電影，是為了要減輕孤獨和對抗死亡。
法國導演夏布洛拍電影，是想建構自己的法律和奇蹟。
義大利貝托魯奇拍電影，是因為他既不會唱歌也不會跳舞。

人生不滿百，電影工業卻已百年有成，
一九九五年末除了金馬影展外，另一個台灣影界盛事——
誠品世界電影百年書展，請您來當電影書的忠實觀眾。

十一月十八日至十二月二十八日，
全省五家誠品同步首映！

MARIONETTE NTHEATER
SCHLOSS SC ÖNBRUNN

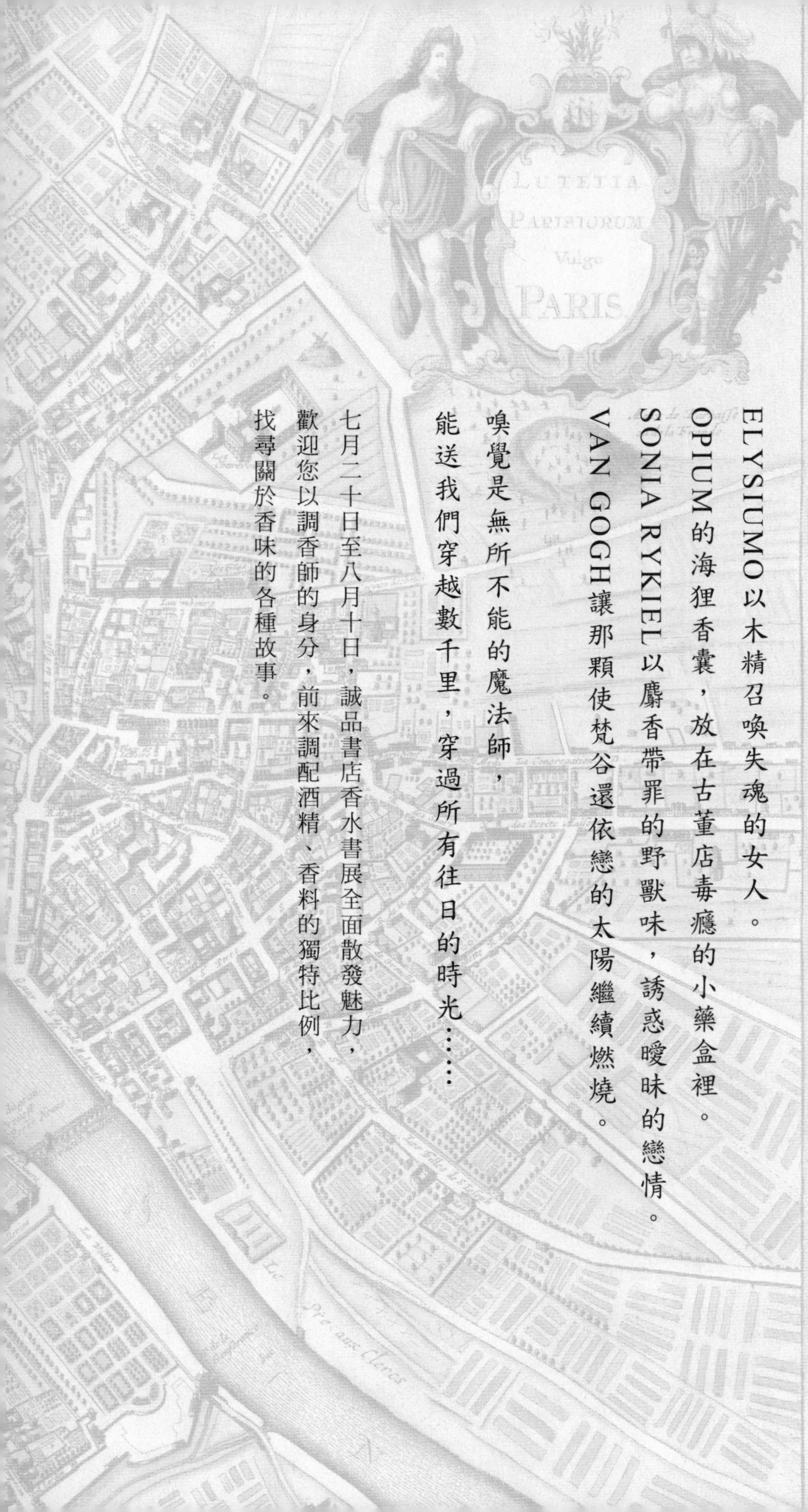

找尋關於香味的各種故事

ELYSIUMO以木精召喚失魂的女人。
OPIUM的海狸香囊，放在古董店毒癮的小藥盒裡。
SONIA RYKIEL以麝香帶罪的野獸味，誘惑曖昧的戀情。
VAN GOGH讓那顆使梵谷還依戀的太陽繼續燃燒。

嗅覺是無所不能的魔法師，
能送我們穿越數千里，穿過所有往日的時光……

七月二十日至八月十日，誠品書店香水書展全面散發魅力，
歡迎您以調香師的身分，前來調配酒精、香料的獨特比例，
找尋關於香味的各種故事。

關於味道

在八月日出前採集晚香玉，
開一個房間，以油脂萃取，
把花鋪在冷油層的玻璃板上，
包在浸油的棉布裡，安撫它們慢慢睡死去，
吐盡芬芳，
與麝香的野獸味一同化為油脂。

小心移開，再灑上另一層鮮花，
就這樣重複了十至二十次，
直到油膏吸飽，直到棉布上流出香味……。

——調香師。

巴蒂斯特．葛奴乙在徐四金的《香水》裡，
用味道畫成一張巴黎地圖來認路認方向。

在冬天，他還用繃帶纏著瞎眼的女乞丐一整天，
為的是要取得她身上的油脂和味道……
他愛的不是人，他愛的是氣味。

他努力研究製香的方法，讓自己有體味，
透過香水來愛自己。

新「書」情方式

亞當閱讀夏娃，找到上帝創世紀中不存在的祕密花園；
羅丹閱讀卡蜜兒，發現哥倫布沒有發現的美麗海岸線；
沙特閱讀西蒙波娃，發現一本不是用賀爾蒙書寫的愛情白皮書；
羅密歐閱讀茱麗葉，相信愛情不能得永生，卻比任何事都值得去殉教。

愛情難求，情「書」唾手可得，
今年情人節唯一可以取代玫瑰和巧克力的示愛品，

二月三日至二月二十九日，
全省五家誠品書店浪漫展出。

閱讀戀人，戀人閱讀

此刻妳正被閱讀。妳的身體在接受系統性的閱讀，
透過觸覺、視覺和嗅覺訊息的管道，
還穿插著一些味覺的蓓蕾，聽覺也扮演著它的角色，
警覺到妳的喘息與震顫。

愛人閱讀彼此的身體，它可以從任何一點出發，跳略，重複，後退，持久……

——卡爾維諾《如果在冬夜，一個旅人》

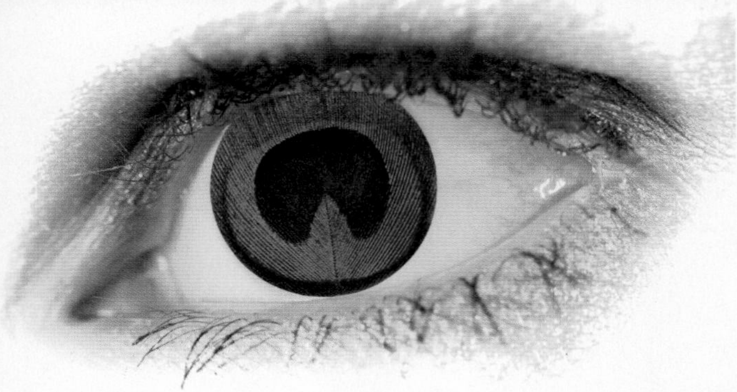

八月，生態注視

現代畫家John Ruskin說，
人的靈魂在這個世界上所能做的最偉大的事，就是能清楚地看到事物。

人體百分之七十的感官接受器集中在眼部，
你的視覺可以穿透香草田野，越過鳥聲高山，到達人村。

一億兩千五百萬個桿狀細胞能分辨白天和晚上，
七百萬個圓錐細胞可以展現生物的明亮，和人的色彩。

你有一對讓世界豐富、生態活絡的眼，
八月，萬物茂盛，人激情，
讓你專心注視，所有關於大自然的生命奇蹟。

自然主義復興現象

反吸菸。反農藥。反污染。反核能。
反添加劑。反輻射。反膠袋。反藥物。
反皮草。反油脂。反膽固醇。反商。
反政治。反封建。反歧視。反戰事。

植物性減壓風潮，菁英移出城市，
斷食靜坐冥想瑜珈氣功流行，
文明師法原始，自然在二十世紀末因稀有而大幅升值……。

上帝的野生劇本

用鹿的聽覺，感應異性求偶的誘惑，而不是誘殺的陷阱。
用羊的觸覺，敏感土地的峰迴路轉，而不是山刀的鋒鈍。
人與獸爭的時代已過，不流血的革命期待和平。

請帶著最動物的直覺，
觸及書中每一隻野生動物神祕的生命力。

野心不能面對野生

人與獸之間、男人與女人之間、兄弟姊妹之間、同事與同事之間——社會版層出不窮的野生動物走私事件、男女情殺事件、江湖恩怨的兇殺血案……二十四小時隨時上演著追逐甚至追殺的生死遊戲。

同類之間的廝殺最具殺傷力，能一次殺死三十萬人的也只有人類自己才辦得到。太多的假想敵讓強者嗜血如命，殺氣騰騰；弱者，包括小孩，老人，原住民和稀有動物只能疲於奔命，逃命。

劉其偉以狂野的畫大聲疾呼，祈求保護牠們的生存權利。

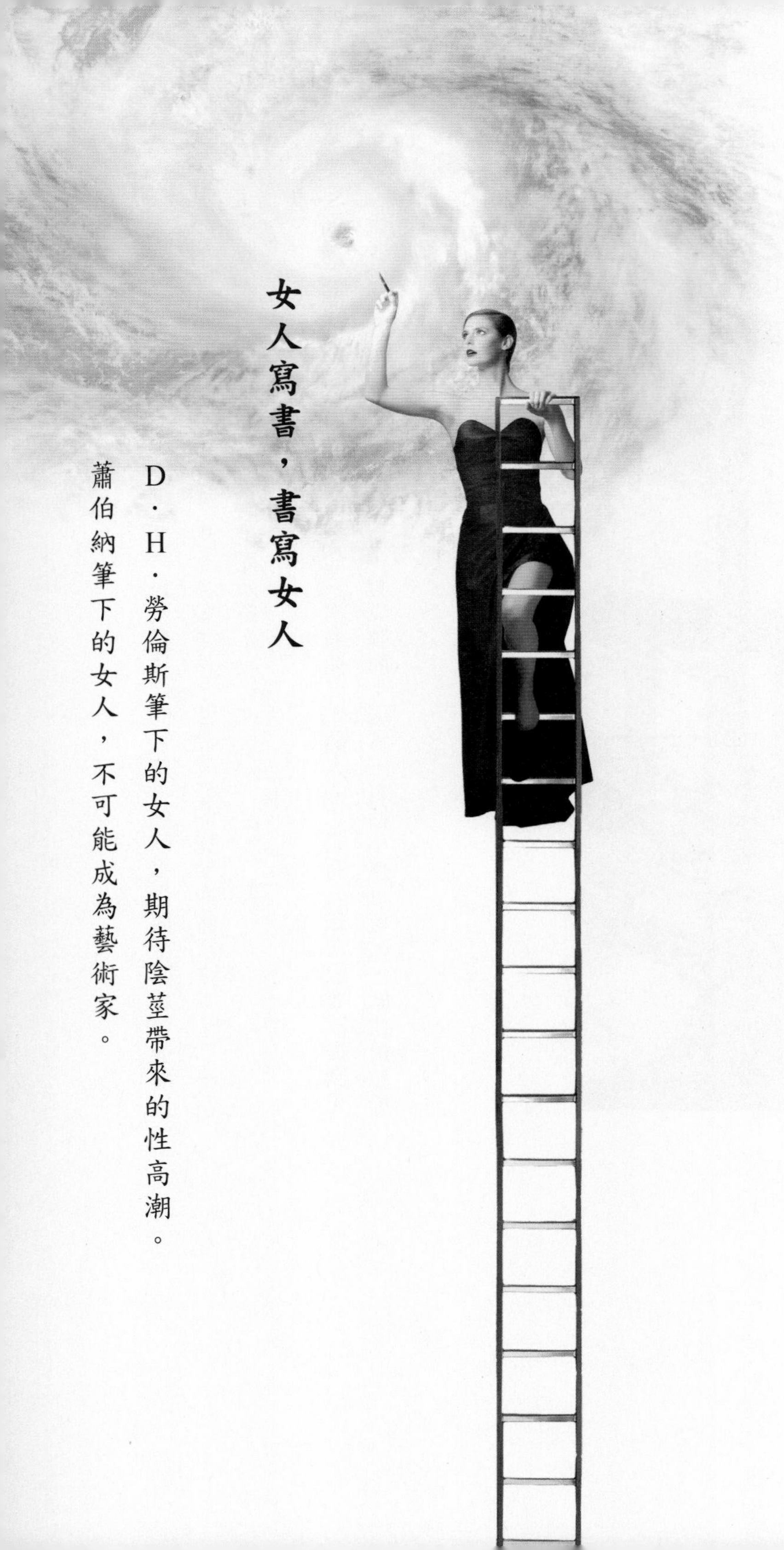

女人寫書，書寫女人

D·H·勞倫斯筆下的女人，期待陰莖帶來的性高潮。

蕭伯納筆下的女人，不可能成為藝術家。

杜斯托也夫斯基筆下的女人，沒有信仰的智慧。
佛洛伊德筆下的女人，因沒有陽具而缺乏自我完整性。
女人在自己寫書之前，
所有關於兩性著作，是用精液而不是月經寫成的。

所以我們舉辦女性書展。

文案書寫之外

發現自己是女人

三歲發現不能打赤膊、不能和弟弟一樣站著尿尿。
十三歲發現紅紅的叫月經，來的時候可以不用上體育課。
二十三歲性經驗，一夜打破了中國千年的處女情結。
五十三歲更年期停經後，以為自己從此不再是女人。

太少的女性藝術家。太少的女性政治家。太少的女性音樂家。
太少的女性作家。太少的女性主廚。太少的女性導演。太少的女性哲學家。

以前女人看的是男人眼中的自己，現在女人從男人的定義中走出來，
在女書、女書店後，
女性終於有了自己第一次的女性書展，在誠品。

女人私房書

女人上桌壓軸，驚豔食慾的寶貝菜，叫做私房菜。
女人祕密壓箱，未雨綢繆的寶貝錢，叫做私房錢。
女人睡前壓枕，取悅自己的寶貝書，叫做私房書。

十二月十日至一月七日，誠品祕密舉行「女人私房書大公開」，
請妳將回味多日，偷偷壓枕不借人的寶貝好書，洩密給誠品，
我們的目標，是將一百零一位以上的女人私房書集結公開，包括妳在內！

女人不祇要看書，還要建國

聯合國調查：全世界百分之五十三的工作是女人完成的，但她們的報酬，只有全世界的三分之一。

法國傳播學家Mike Burke說：女人是男人的將來。趨勢專家John Naisbitt也說：女人正在改變世界。

於是，我們決定推翻男人自以為是的世界，接管自己的身體，擴大領地，收回權力，主宰欲望，及一個國家。

我們相信，女人一旦治國，將會在最短的時間內減少最多的貪污、官商勾結、黑道、性暴力——把浪費在權力、財力爭奪戰的金錢及人力資源，全數轉用在國家的社會福利上，讓每個人過得更幸福。

男人即將勢微，女人，妳準備好了嗎？

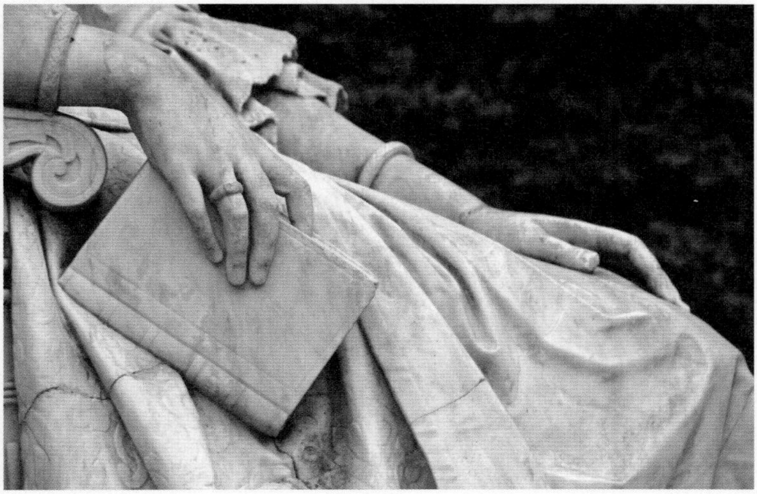

重溫握筆的感動

一隻竹筆沾了尼羅河的水，填滿了埃及的歷史哀榮。
一隻鋼筆沾了日夜思念的淚水，寫成了阿伯拉與哀綠綺思的情書。
一隻彩筆沾了大溪地的水，畫出了高更的原始野性。
筆因氣候而有情緒，人因情緒而有靈感，筆因靈感而有生命。

在每張白紙的童貞前，
百枝有年份、有來歷、有氣味、有流傳的古董筆，更顯珍貴。

六月十五日至六月三十日，誠品敦南店古董筆特展，
邀請你重溫握筆的感動。

寫字的人不說話，一段關於筆的二三事

曾幾何時，工廠統一規格的筆，取代手工製筆，讓不同的手習慣一種握筆、一種表達。

曾幾何時，電話取代了書信往來，一分鐘九十字的效率，取代紙上耕耘的筆跡，過耳即忘的冷漠，取代永誌於心的感動。曾幾何時，電腦打字取代了手寫筆跡，文字失去了入木三分的感情線條，人失去紙上刻鏤思緒的力道，而筆，失去了人的氣味。

史學家的筆，第一次寫字的筆，父親送的筆，簽約用的筆，專家用的筆，代表身分的筆——古董筆展，重新端詳每一支有年份的筆，重新思考另一種無聲的情緒表達，重溫握筆的感動。

書妝打扮

川久保玲的服裝，染上三島由紀夫式的死亡黑。
伊夫．聖羅蘭的房間，以《追憶似水年華》的角色替房間命名。
羅夫．羅倫專櫃的長褲和衣衫間，擺一本臨床心理學。
Gianni Versace的皮革配真絲，曝露了肉感的義大利古典主義。
哈美奈把佛教戒律學和集體潛意識哲學，反映在運動衫的設計上。

服裝讓身體自戀，閱讀讓心靈自覺。
對漂亮衣服和好雜誌一樣沒有抵抗力的男人女人，
誠品閱讀提供了服裝之外，更多讓您自信出門的生活情報。

服裝和書之間的共同靈感帶

羅夫．羅倫在專櫃裡擺《墮胎與法律》、《俄亥俄州的公共行政課題》，來反應羅倫客戶的生活方式。

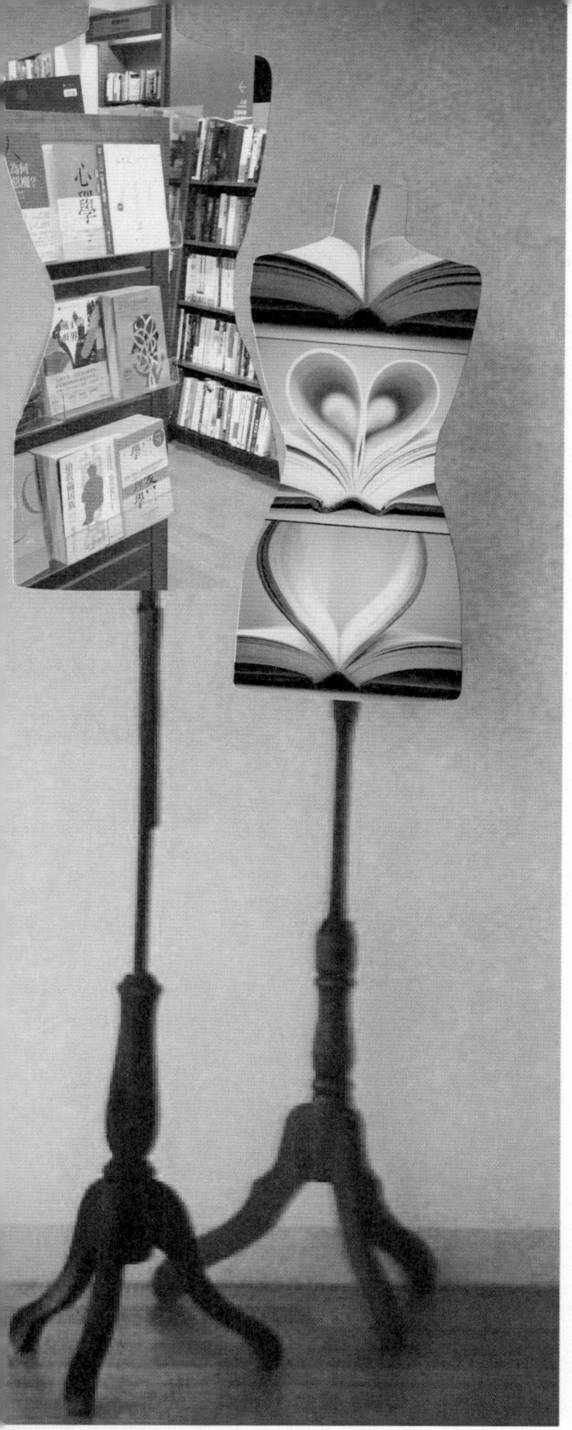

山本燿司的衣服，是用日本文化剪裁出來的。

在山本耀司工作坊的紀錄片中，導演溫德斯驚訝，穿上山本耀司的衣服，就像穿上日積月累的陳年記憶，童年時光。山本繼承了日本戰爭文化，他以書中的老照片為靈感設計款式，以終極的黑色，縫製一件件有歷史感的服裝，每穿一次，就變身一次。

書，是服裝設計師剪裁文化氣質的重要素材，也是讓盛裝的人看起來更美的化妝品。

不管你現在幾歲，「書」妝打扮絕對是必要的。

為什麼要讀Taschen

因為天堂。
因為Hunderwasser。
因為夢想。因為Dali。
因為童話。因為Miro。
因為寂寞。因為Van Gogh。
因為愛情。因為Picasso。

因為這個世界上沒有業餘的藝術家。

從現在起，您不必專程跑遍世界美術館欣賞真跡，
這些在Taschen上，都有記載。

基於非常私人的理由，擁有 Taschen 的 13 種精神必要

自戀

「我畫我自己是因為我經常感到孤獨，同時，也因為我是我最瞭解的題材。」

—— Kahlo 卡蘿

藍色及粉紅的安全感

目錄
◎童年及年少時期
◎藍色及粉紅時期
◎素描和版畫家畢卡索
◎立體派 1907-1917
◎雕塑家畢卡索
◎二〇及三〇年代 1918-1936
◎海報藝術家畢卡索
◎戰爭經驗 1937-1945
◎陶藝家畢卡索
◎晚期作品 1946-1973

「沒有東西不是在孤寂中誕生的，我為自己製造一種沒有人知道的孤寂，今天因為有了鐘，我們已很難獨處。你曾見過一個戴錶的聖者嗎？我沒見過，即使鐘錶業的守護神也不戴錶。」

—— Picasso 畢卡索

雌雄同體

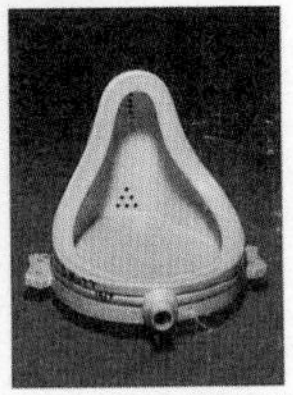

「是的，我想變換我的身分認同，本來想取個猶太名字，我其實是個天主教徒，改換宗教本就是個變化，但我沒有找到喜歡或吸引我的猶太名字，不過我忽然想到為什麼不換個性別？這不是更簡單嗎？」

—— Duchamp 杜象

得不到的情人

「我會在藝術中找到表達的方法，一本小冊子或是一份目錄，記錄所有我得不到的情人，為偉大的性經驗提供了一份諷刺的備忘錄。」

—— KLEE 克利

病與隔絕

「與世隔絕於我最合適，這樣至少我不會受制於人。」

—— Cezanne 塞尚

偷窺

「我不喜歡篷車，因為看不到人。我喜歡小巴士，因為可以觀察人，我們生來就是要可以彼此觀看。」

—— Degas 竇加

酒與婚外情

「當時少婦的丈夫似乎不在場，這裡表現的是偷情事件的開端.....那個男人正彎腰與少婦交談，顯然喝了點酒，也可能是一種春藥。」

—— Vermeer 維梅爾

致命的女人

「在世紀交替的維也納，像是世界末日的實驗室，男人顯然各方面受到威脅，被排除於女人或女人統治的世界之外，像女同性戀者的自戀世界，她們在〈水蛇〉裡相戀，就是典型的對女人統治宇宙的恐慌幻想.....」

—— Klimt 克林姆

相遇

「人形不只被迫要繞著圓環走路，還得在圓的最前方與對方相遇，一位白色的樂觀主義者與一位黑色的樂觀主義者，彼此握手打招呼。」

—— M.C.Escher 愛薛爾

假日花園

「我在這裡，四周皆是我所愛的事物，我把時間花在戶外，在暴風雨中或是在漁船出海時的海灘上.....傍晚時分，我親愛的朋友，在我小房子裡有溫暖的火，及小家庭的愜意.....我現在正享受著一段平靜、沒有雜務干擾的時光.....」

—— Monet 莫內

光的印象

「想像自己如果出生於知識份子的家庭，一定得耗費多年的時間才能消除偏見，進而忠實地看待事物，而且可能雙手笨拙。」

—— Renoir 雷諾瓦

相信太陽

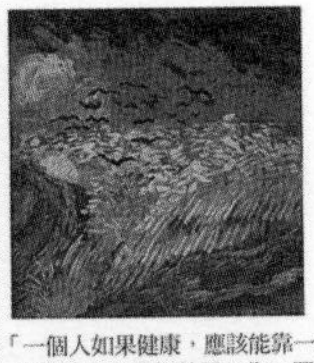

「一個人如果健康，應該能靠一片麵包過活，並且能整天工作，還有力氣抽煙喝酒；在這種環境裡，你需要的就是這個。還有，你可以感覺到星星和無限的天空，儘管有許多雜物生命還是像一則童話故事，你知道嗎？在這種環境下不相信太陽的人是無神論者。」

—— Van Gogh 梵谷

瘋狂預言

「五歲時，我看過一隻被螞蟻吃得只剩空殼的昆蟲，從牠身上的洞可望見天空，每當我希望獲得純淨，我就透過肉注視天空。」

—— Dali 達利

基於非常私人的理由
擁有Taschen的十三種精神必要

自戀

「我畫我自己，是因為我經常感到孤獨，同時，也因為我是我最瞭解的題材。」

——Kahlo 卡羅

藍色及粉紅的安全感

「沒有東西不是在孤寂中誕生的，我為自己製造一種沒有人知道的孤寂，今天因為有了鐘，我們已很難獨處，你曾見過一個戴錶的聖者嗎？我沒見過，即使鐘錶業的守護神也不戴錶。」

——Picasso 畢卡索

雌雄同體

「是的，我想變換我的身分認同，本來想取個猶太名字，我其實是個天主教徒，改換宗教本就是個變化，但我沒有找到喜歡或吸引我的猶太名字，不過我忽然想到，為什麼不換個性別？這不是更簡單嗎？」

——Duchamp 杜象

得不到的情人

「我會在藝術中找到表達的方法，一本小冊子或是一份目錄，記錄所有我得不到的情人，為偉大的性經驗提供了一份諷刺的備忘錄。」——Klee 克利

病與隔絕

「與世隔絕於我最合適，這樣至少我不會受制於人。」——Cezanne 塞尚

偷窺

「我不喜歡篷車，因為看不到人。我喜歡小巴士，因為可以觀察人，我們生來就是要可以彼此觀看。」——Degas 竇加

酒與婚外情

「當時少婦的丈夫似乎不在場，這裡表現的是偷情事件的開端……那個男人正彎腰與少婦交談，顯然喝了點酒，也可能是一種春藥。」——Vermeer 維梅爾

致命的女人

「在世紀交替的維也納，像是世界末日的實驗室，男人顯然各方面受到威脅，被排除於女人或女人統治的世界之外，像女同性戀者的自戀世界，她們在〈水蛇〉裡相戀，就是典型的對女人統治宇宙的恐慌幻想……」——Klimt 克林姆

相遇

「人形不只被迫要繞著圓環走路，還得在圓的最前方與對方相遇，一位白色的樂觀主義者與一位黑色的樂觀主義者，彼此握手打招呼。」——M. C. Escher 愛薛爾

假日花園

「我在這裡，四周皆是我所愛的事物，我把時間花在戶外，在暴風雨中或是在漁船出海時的海灘上……傍晚時分，我親愛的朋友，在我小屋子裡有溫暖的火，及小家庭的愜意……我現在正享受著一段平靜、沒有雜務干擾的時光……」

——Monet 莫內

光的印象

「想像自己如果出生於知識分子的家庭，一定得耗費多年的時間才能消除偏見，進而忠實地看待事物，而且可能雙手笨拙。」——Renoir 雷諾瓦

相信太陽

「一個人如果健康，應該能靠一片麵包過活，並且能整天工作，還有力氣抽菸喝酒；在這種環境裡，你需要的就是這個。還有，你可以感覺到星星和無限的天空，儘管有許多雜物，生命還是像一則童話故事，你知道嗎？在這種環境下不相信太陽的人是無神論者。」——Van Gogh 梵谷

瘋狂預言

「五歲時，我看過一隻被螞蟻吃得祇剩空殼的昆蟲，從牠身上的洞可望見天空，每當我希望獲得純淨，我就透過肉注視天空。」——Dali 達利

Taschen
Picasso
畢卡索的74幅真跡，在台灣
I wanted to be a painter, and I became Picasso
— declared Pable Picasso（1881-1973）
1998年9/26至1999年1/20
地點：國立故宮博物院
誠品書店
尺寸 19.5x24.5x6.5cm
740頁
近千幅彩圖・英文

國際文化市集・誠品精彩趕集

想要體會梵谷的孤獨，不必讀懂西奧的荷文書信。
想要解析雷諾瓦的瀝青黑，不必研究雨果的鐘樓怪人。
想要回顧莫內的開始，
不必看過一八六五年沙龍展的《美術通訊》。
想要發掘艾薛爾的靈感，不必對照英國心理學期刊。

享譽國際的德國藝術專業書籍出版社Taschen，在四十三本藝術大師的專書中，率先將梵谷、雷諾瓦、莫內、愛薛爾四冊翻譯成中文，結合傳記的詳實、和近百幅彩色大圖片，是藝術學的啟蒙，也是專業的參考書——深入藝術，從此不必一知半解，更不用查字典。為維持畫冊品質，堅持在德國原廠印刷，空運來台。Taschen以最便宜的價錢，讓藝術離你最近。

買書為聘，以書陪嫁

縱使有越來越多人追逐一夜春宵，
我們仍選擇了一輩子居家的愛情。

縱使有越來越多人從婚姻出走，
我們仍選擇了結婚的溫暖信守。

在這個不喜承諾、變心頻傳的時代，
我們的誓言彌足珍貴。

六月十四日，誠品書店六月結婚書展，
全面打點好您結婚的行頭，
以書的盛大排場，見證您一生的婚禮。

關於婚宴，另一種最口慾的書寫形式

把一個愛情的蛋黃打在半品脫的清水裡，
溶入兩磅的黏膩焦糖，
加熱糖漿，開始沸騰時就加一點生活的冷水，
就這樣連續沸騰三次，
然後把糖漿從現實的爐子上端下來，
讓激情靜置一會兒，
再把幻滅的泡沫抹去，
加入午后的橘皮、大茴和丁香浪漫調情，
文火直到它充分入味的階段，
最後用鍋子上的亞麻布濾出耐久的相處餘韻——

六月，盛夏盛情，
我們將成為夫妻，期待您的祝福。

找一張紙，讓它有表情

一九九八年誠品月曆・卡片・記事本設計徵選，
九月三十日前，尋找新銳平面導演，
無條件替你接生創意，
極有機會行銷你的個人品牌。

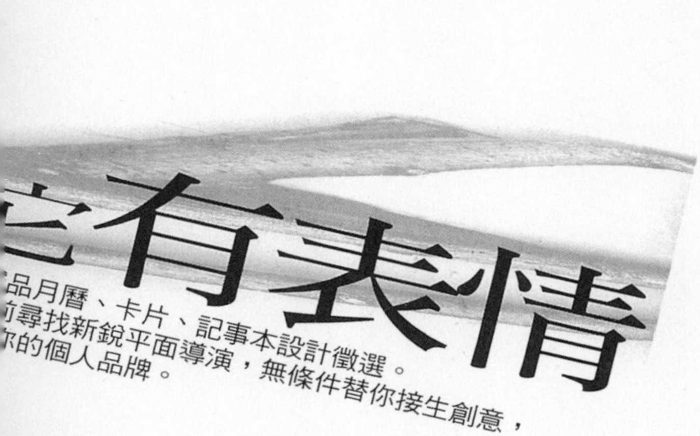

紙，在誠品從此有了光榮的紀錄

用濟慈的詩句剪出一只書籤。
把愛情的叨絮收進一張卡片。
找四季的景色擺出一份月曆。
將一生的回憶排成一本記事。

找一張紙，讓它有表情。

一九九八誠品月曆・卡片・記事本設計徵選，
在一九九七年九月三十日前，
一共收到數百件各式各樣精彩的紙上作品，
數十位紙上新銳導演脫穎而出，
紙，在誠品從此有了光榮的紀錄。

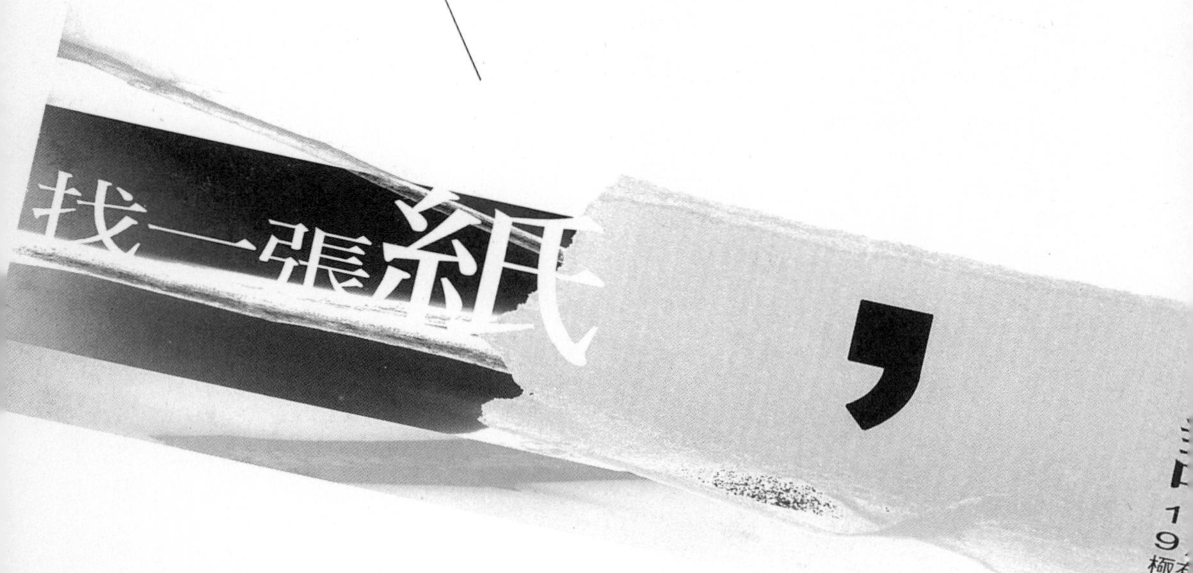

大過新年・枕書冬眠

一月二十日至二月十五日，全省發布低溫特報，
呼籲全民做好保暖準備，預防寒害。

請就近至誠品書店各分店，買書糧增加知識卡路里，維持體溫。

冬眠前最後乙次補糧行動，現在開始。

九十九種翻書的方法

把書視為一種能量，日本前衛導演寺山修司玩了很多這樣的意象：用腳踏車的動能翻書，以水的浮力翻書，以沙漏的流動翻書，以天秤的砝碼重力來翻書，以打沙包的撞擊力轉換動能來翻書……。

德國文件展中也有一件作品跟翻書有關：人走進一個長廊，整排的電視機裡，有不同書頁的文字靜置地供人閱讀，時間到了，書頁會在螢幕中自動翻過去……。

書的能量可以是無形的，也可以是有形的，甚至可以被量化成重力加速度，或是卡路里，全看你對書的想像有多麼與眾不同……。

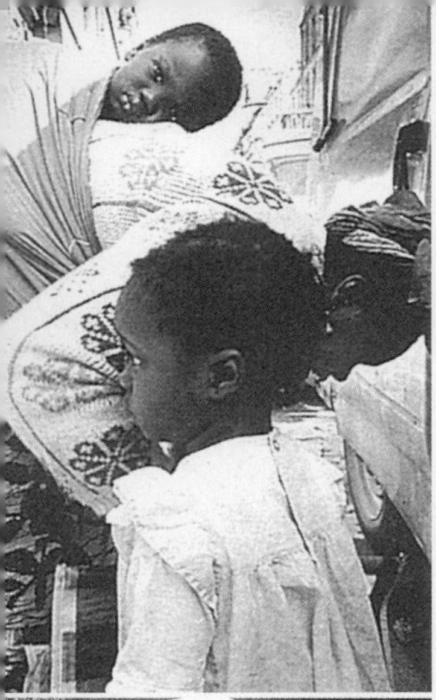

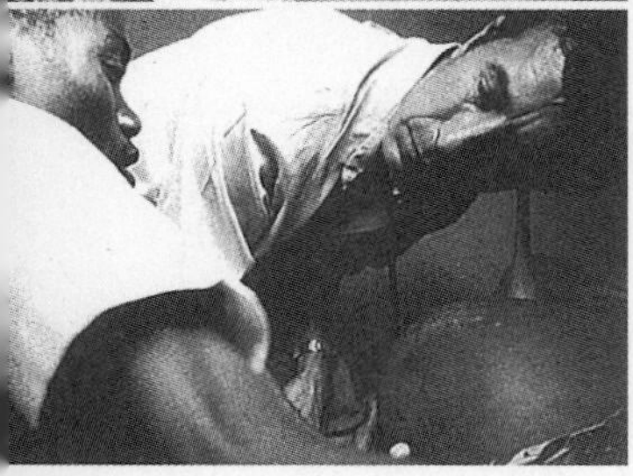

「如果你的照片拍得不夠好，那是因為離戰爭不夠近」——Robert Capa

面對即將消失的世紀，
十位攝影師用相機，延續烽火下倖存的生命力，
所有的鏡頭與底片，在人的使用下有了人性。

十一月二十三日至十二月八日，
世紀末・無國境醫療團影像展，請您目擊，
MSF全力搶救，一切來不及阻擋的悲劇生命。

己錄下的世紀末危機

國境醫療團」是一群熱血慈善的公益人士所成立，並非政府組織，完全以犧牲爲
合當代一流報導攝影家，以人道主義，無薪資、無條件企圖以影像結合醫術化爲
神，喚起人類本性行爲。
界各地戰亂、禍害面臨饑餓危機時刻，「無國境醫療團」義不容辭提供最迅速的
及糧食救助等，提供人間最基本之精神。
國境醫療團」成立廿多年來，在多次世界面臨危機時刻，最需要互助情況下，從
以最情、博愛獻身在危機現場，引導人類再一次反省機會，在世紀末到臨時刻、
、宗教對立、社會抗爭，暴力、殺人、政客所引爆下大量難民潮，饑餓、傳染病
攝影家鏡頭下，不得不再次喚醒社會大衆去正視人類最原始之弱點，當每一份工
分配到任何地域，不管是多麼危險，「無國境醫療團」的成員，是毫無選擇，在
位工作人員都必須寫下一份遺書，全力以赴。
國境醫療團」自 1971 年以來，二次獲得諾貝爾和平獎提名，以維護人類和平所
程，在當今台灣富裕且生活糜爛的社會之中，是值得學習，如這一次展覽能在台
代表意義、非言辭所能言喻。

——總策劃 楊孟哲

HAIER 黃・海爾
年生於中國廣州。大學畢業後任
企劃師。一九八〇年於上海國立
首次攝影展。一九八七年，獲
此獎專門頒給亞洲攝影家）八八
攝影節「中國攝影家展」參展，
在歐洲廣被介紹，Camera Inter-
大幅刊載他的作品。

Graciela ITURBIDE 葛雷西拉・艾特拜
四二年生於墨西哥市。學習建築電影，八
七年以智利聖地牙哥「雇用與失業」之報
導獲國際勞動機關所頒獎項。並以墨西哥
地區的印第安原住民生活習慣爲素材。

SIEFF 尚路普・謝夫
於巴黎，十五歲起接觸攝影，志
作。習文學、報導採訪，且在瑞
影。五四年，二十一歲之齡成爲
家，五九年獲法國專門頒給最優
的Niépce獎，確定了職業攝影家
六六年回法，其後以風景、裸體

Eugene RICHARDS 尤金・李察德斯
四四年生於波士頓。六八年，志願前往位
於阿肯色州南部農村地帶的療養院服務，
至其受癌症所苦伴侶Dorosia Lit八三年去
世爲止，持續拍攝他的神態，這成爲後來
的 "Exploding into life"，此作品在八六年
獲Nikon最佳報導攝影獎。八〇年，著手拍
攝Danba醫院急診部門的記錄攝影，並發
表該攝影集。並在世界主要雜誌，如

Bruce GILDEN 布魯斯・吉爾登
四六年生於紐約。六七年在視覺藝術學校
學習攝影。畢業後十年間在紐約持續拍
攝。八五年著手以海地人的日常生活爲素
材的長期攝影。此外，在八六年起於世界
各地活躍地舉行攝影展。

Didier LEFEVRE 狄迪埃・烈芙爾
五七年生於法國。大學畢業後八三年開始
全力學習攝影。八四年到八七年，爲MSF拍
攝多數現地影像。八七年以降，定期在Lib-
eration雜誌上發表，主題包含喀土木的洪
水及巴基斯坦總選舉及中國北京、上海等
地動亂等。其作品廣爲海外諸多新聞雜誌
使用。

John VINK 約翰・文克
四八年生於比利時。七一年成爲攝影家，
從事許多歐洲與非洲社會的記錄攝影。作
品廣爲海外新聞雜誌使用，也參加諸多攝
影展。
八七年至九四年，從事有關世界難民的重
要工作，九四年開展並同時出版其攝影
集；同年並發行現地攝影誌 "Themes"。

Sebastião SALGADO
西巴斯提奧・薩爾加多
四四年出生於巴西。大學習法學、經濟。
在一次非洲的調查活動當中，對非洲社會
的現地探訪產生興趣，開始從事攝影。
七三年移居巴黎，開始以非洲撒哈拉沙漠
地域的乾旱及歐洲移民勞動者爲題材，以
後定期取材拉丁美洲及非洲。八四年，題
名「另一種美國」的攝影展與出版物，獲
巴黎市與Kodak社頒最優攝影獎。在MSF
協助下，從事撒哈拉乾旱飢饉的題材。

Hugues De WURSTEMBERGER
休斯・伍斯坦柏格
五五年生於瑞士伯恩，法籍。瑞士教皇警
備隊服役後，以此部隊的日常攝影舉辦了
攝影展。八七年，有關外交部國土計劃的
記錄攝影完成，九〇年獲Niépce獎。

Jane Evelyn ATWOOD
珍・艾芙琳・艾特伍
一九四七年生於紐約。七一年後定居巴
黎。記錄從巴黎娼婦到囚犯、病人、殘障
者等社會邊緣份子的實際生活，特別是以
盲眼孩童爲焦點的作品備受注目。

關於無國境醫療團——Médecins Sans Frontieres——MSF

非關方組織，成立二十七年。

宗旨：

以緊急醫療援助為主。聯合國關聯機構，EU重要友好組織。對受自然災害侵襲，或第三世界因種族、宗教因素而起的內戰，所導致虐殺的難民，進行醫療援助。成員包括醫生、護士、麻醉師及復健師等。

攝影集來由：

來自世界各國的十位優秀攝影家，被送往MSF醫師團積極活動中的幾個地點，讓國籍各異的他們，以攝影家的眼光及體驗，記錄MSF的實踐活動，給予我們一個機會，藉以理解、省思MSF的存在意味。

關於攝影展

容易激動、容易對立、容易感染、就是不容易感動。
不停天災、不停人禍、不停流血、不停的人心腐敗。
罹患絕情、罹患絕症、罹患絕望、絕處沒有再逢生。
鏡頭下這些人，不知道是否還活著——

如果一九九四年的颱風放過馬達加斯加島上的三十萬人，
如果愛滋和毒品從未進入泰國，
如果一九七五年莫三比克的三百萬人免於內戰，
如果巴黎的七百個孩子躲過鉛落塵，
預言中的末日尚未發生，槍口下的悲劇已經開始。
面對即將消失的世紀，
一夜屠殺，輸光了所有的信任，
請看看這些歷劫歸來的人。

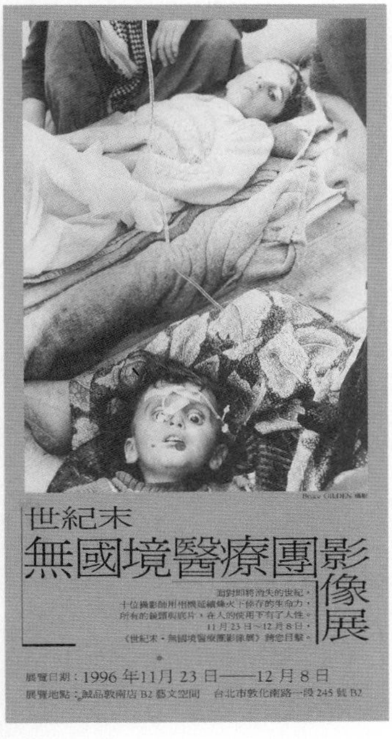

Bruce GILDEN 攝影
世紀末
無國境醫療團影像展
面對即將消失的世紀，
十位攝影師用相機延續烽火下倖存的生命力，
所有的鏡頭與底片，在人的使用下有了人性。
11月23日～12月8日，
《世紀末・無國境醫療團影像展》請您目擊。
展覽日期：1996年11月23日——12月8日
展覽地點：誠品敦南店 B2 藝文空間　台北市敦化南路一段245號 B2

二十世紀結束前——必須在家中設置的十二個心靈出口

鄉愁

渡海

先民航海來台，十個移民有「六死三留一回頭」的說法。迄今，澎湖附近的黑水溝海底仍然留存著海難沈船的殘骸，和未曾在史籍留名的移民。

——一九七八《薪傳》

中年

戰後出生的孩子，匆匆步入中年，忽然有了記憶；鄉愁可能是北平，府城，西安，大稻埕，水里，斗六。落在這塊生長的土地，時間到了八十年代，這些人在高聳的大廈間匆匆急行之際，竟也有駐足的時候。而海濱忽然擠滿了垃圾，如果重新拍照，照片裡的人物也不再，衝岸而來的浪濤報復似地吐出許多驚人的垃圾袋。

——一九八六《我的鄉愁，我的歌》

潛意識

把鈔票穿上身的現代飛天女，伏遊潛行的星宿，石窟壁畫中的慈眉善目，裙帶飄飄的Queer，集體潛意識，一次跨越N個光年的旅行，正在進行……——一九八五《夢土》

神話

生存

天空來了兩個輪流出現的太陽，炎熱不堪，難以生存。泰雅族人團結起來，一代射日失敗了，繼起的新生代，繼續奮勇地拿起了弓箭來射日：一個太陽嚇壞了，連忙逃走，孩子們的箭射中了另一個太陽。他的血濺到了天空，成為滿天繁星，他那蒼白失血的臉，就變成了月亮。——一九九二《射日》

挫折

「九歌」實際上原是春秋兩季祭慰戰士亡魂的儀式，重述「九歌」詩篇，「挫折」才是真正的主題，神祇從未降臨楚地的祭典，湘君湘夫人無法會面，山鬼始終沒等到他所等候的人。正因為人世間的種種遺憾，人們不得不祭祀不斷，祈神不斷……——一九九三《九歌》

境界

罣礙

「……心無罣礙。無罣礙故，無有恐怖，遠離顛倒夢想，究竟涅槃。那金飾堆中帶著體溫的白髮，以及這些年來照過面的黃土高原上貧農，峇里歡慶的火葬，恆河畔待焚的屍骸，都在我心中盤據著親密的角落……」

——一九八二《涅槃》

流浪

「如是我聞。不旅行的人絕無快樂，羅希塔！活在人的社會，最善良的好人也會變成罪人……那麼，流浪去吧！流浪者的雙足宛如鮮花，他的靈魂成長，修得正果：浪跡天涯的疲憊洗去他的罪惡。那麼，流浪去吧！他的福分跟他一起作息，跟他一起站立，睡眠，如影隨身和他一起移動。那麼，流浪去吧！」

——一九九四《流浪者之歌》

無常

頑石謫落凡塵，寶玉，寶釵．黛玉之情，舊時大家之興衰，無常之處，假作真時真亦假，無為有處有還無……

——一九八三《紅樓夢》

記憶

死亡

今天是公元一九八九年六月八日下午四時……，一段柴玲在天安門廣場的說話錄音，及李斯特的葬禮進行曲……

——一九八九《輓歌・牛犁歌・明牌與換裝》

爸爸

一九四七年三月十二日，爸爸，被五個便衣帶走。媽媽已經無法活在這世間，她的精神都已經隨爸爸去了。

我們就帶她去醫院。靠神明，宗教的力量，決心要活下。但是，媽媽有一個條件，爸爸所有的東西都要燒掉，身邊都不能留有爸爸的東西給她看見。

——一九八七《家族合唱》

二五年

一九七三年迄今，雲門舞集二十五年了。

將二十五年來的精彩片段，形成一部精彩的群詩，從薪傳，紅樓夢，流浪者之歌，九歌，一起家族合唱。

——一九九八《雲門二十五》

失憶招領

你睡時，台灣還醒著。

歷史從未被遺忘，只是你錯過了。

「弟弟無法從父親當街被槍殺的噩夢中醒來，這一輩子他從來沒有成就過任何事情，永遠不斷在換工作。而且他常三更半夜打電話給我，一句話都不說，只是不斷在電話那頭哭泣……。」

「一九四三年美軍轟炸期間，二十三歲的我，跟幾個女朋友們，每天把自己打扮得漂漂亮亮，即使是我們在這麼年輕時就要面對死亡，我們還是希望可以死得非常美麗……」

「我給了大陸親戚所有的一切，然後兩手空空回台灣。可悲的是，在台北，我被稱做外省人，回到大陸卻被叫成台灣人……我是誰，我真的不知道……」

尋找親人的浪子已老，人依舊粉墨登場。

從未有任何一個人在這齣戲中真正死去，只有誕生。

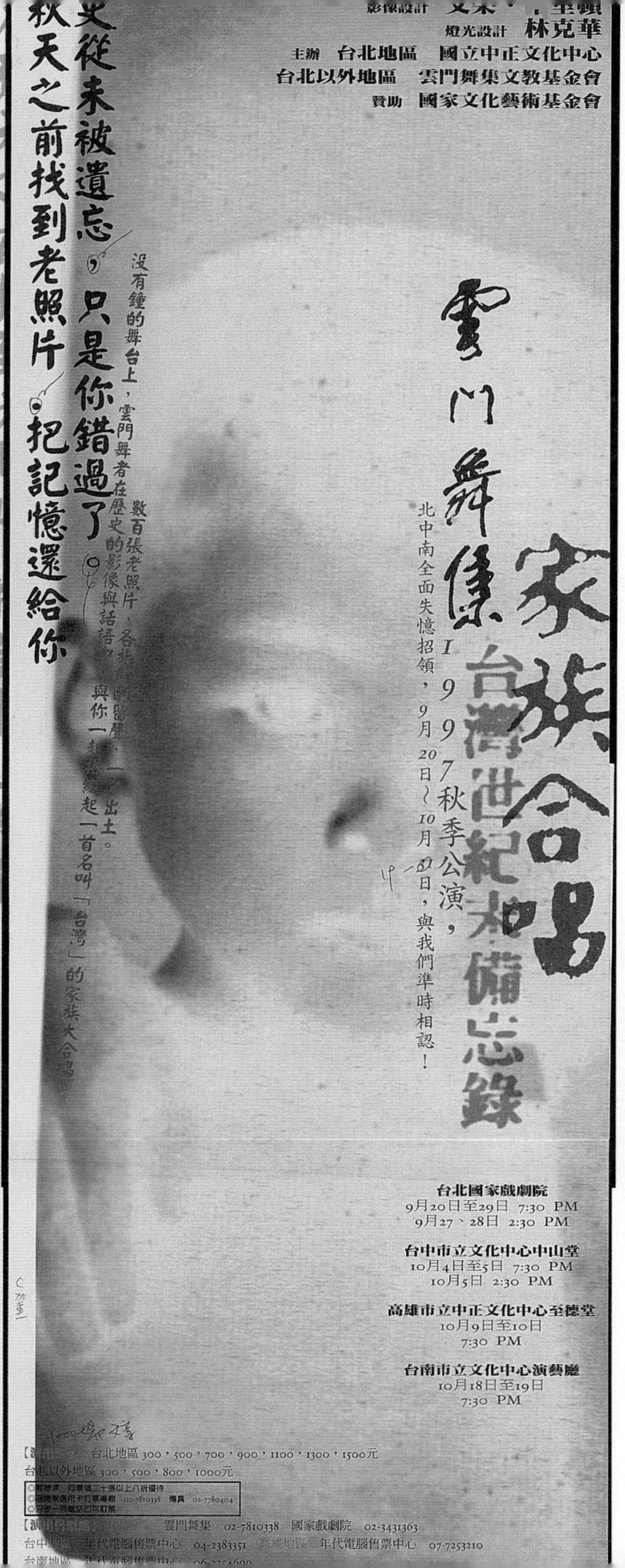

燈光設計 林克華
主辦 台北地區 國立中正文化中心
台北以外地區 雲門舞集文教基金會
贊助 國家文化藝術基金會
從未被遺忘，只是你錯過了
秋天之前找到老照片，把記憶還給你
雲門舞集
1997秋季公演
家族合唱
台灣世紀末備忘錄
北中南全面失憶招領，9月20日～10月19日，與我們準時相認！
台北國家戲劇院
9月20日至29日 7:30 PM
9月27、28日 2:30 PM
台中市立文化中心中山堂
10月4日至5日 7:30 PM
10月5日 2:30 PM
高雄市立中正文化中心至德堂
10月9日至10日
7:30 PM
台南市立文化中心演藝廳
10月18日至19日
7:30 PM
台北地區 300，500，700，900，1100，1300，1500元
台北以外地區 300，500，800，1000元
雲門舞集 02-7810338 國家戲劇院 02-3431363
年代電腦售票中心 04-2383351 年代電腦售票中心 07-7253210

數百張老照片，各種族的留聲，一夕出土，

在沒有鐘的舞台上，舞者用比回憶更慢的速度，說著你的故事。

雲門舞集十週年秋季公演，

在秋天之前找到老照片，把記憶還給你。

請帶著怗記一輩子的心事，與我們準時相認！

這座城市關於死亡的記憶

β城興建時沒有圍牆，毀滅前範圍無限制地蔓延至無限大，無從收拾。

鐘錶店的老闆把所有的時鐘按停，劇場演員開始排練神話劇以接近天神，嬰兒用品店及才藝教室全面關閉，百貨公司超級業務員改辦「壽衣大出清」一折活動，哲學家兼職送終牧師，理容店老闆改行殯儀館整容師，學生開始學習冥界語言，其他人則在教堂前，花錢排隊登記死後居住地點及職位，入夜後則興建自己的墓園。

每天至少有一棟公共建物倒塌，β城隨時等待大災難，無時無刻都有葬禮正在舉行，觀禮者都被染上病菌。

β城成為喪葬之城，到處都是擠過的牙膏管、壓扁的寶特瓶、發臭的塑膠袋、熊的屍塊、剝皮後的蛇身、斷弦的樂器、破輪胎、沾有血漬的酒瓶、充滿輻射劑量的食物空氣花和水、錯字連篇的百科全書、生蟲的保險套、和對來世充滿希望的快樂人民，如同一群等待移民通知的次等公民。

XII
XI
I
X
II
IX
VIII
IV
VII
V
VI

徵召二〇〇〇年的夢想

為了讓下個世紀更幸福，我們必須
重編百分之二十的舊尺度，
遺忘百分之三十的舊定律，
淘汰百分之五十的舊辭彙，
調整百分之八十的舊態度，
接受百分之百的新可能。
同時，我們也需要新的祝福，新的話語，
新的視野，新的卡片，新的聯絡方式……

二〇〇〇賀年卡圖文創作選，請現在就來為您的夢想大興土木！
時間有限．看清條件：
文案限三十字內，圖橫直彩色不拘，但必須含「二〇〇〇」字樣。
資源有限．只選十件：
得獎者可得稿酬，誠品圖書禮券一萬元。

SANTORINI
POSTCARDS
HANDPAINTED ON SANTORINI
JUST BLUE
Greece
SANTORINI

身心靈舒眠・女人特休假！

二〇〇六年十一月二十一日至十二月二十日，整整一個月，誠品與GSK給妳一個最溫暖的避風港，讓妳喘口氣，為妳舒壓，一起復活心中真正的妳，好好愛自己！

這一輩子，我們努力扮演好：
女兒、姐姐、妹妹、妻子、母親、員工、主管的角色，
一天二十四小時每分每秒，所思所行，
都是為了身邊的人。
久了，覺得自己所付出的心血，
與所收到的感謝與回饋不成比例，
於是開始感覺倦怠、無力，
不知自己為何而來，為何而活。

現在，誠品與GSK號召全天下女人，
從十一月二十一日起特休一個月，

每分每秒只為自己想、只做自己喜歡的事、只專心愛自己、只為自己而活，
想像妳活在一個只有妳獨尊的星球上，沒有人有權利要求妳做任何事，
妳可以用自己想要的速度與航道，運行出妳心中真正渴望的幸福地圖，
妳只要以自己為中心自由地移動，心之所至，路之為開，
全宇宙都會繞著妳在轉！

最富裕的人，就是需求最少的人！

反虛華，BeRich夏秋心靈補給活動開始！

人們常常倒退著過日子：
他們想要擁有更多東西或更多金錢，以便能做更多想做的事情，好讓自己更快樂。
其實反方向才是對的，你必須先成為真實的自我，然後做你必須做的事，以便擁有你想擁有的。

——Margaret Young

太多的虛華，讓我們忘了自己是誰，
太多的追逐，已經搞不清楚自己到底要的是什麼。

卸下一身的名牌，才發現自己什麼都不是。
炫耀手上五克拉的定情戒，其實心裡想要的是兩人真心獨處五小時。
一身病痛，踩著名貴的高跟鞋進出冰冷的醫院，
其實想要的是能有一天，赤腳健康地在草原上享受陽光。

不要再為別人的眼光做牛做馬了，
我們的尊嚴不需要光鮮亮麗的頭銜，
我們的價值不需要巴洛克式的虛華，
轉向內心找到真實的自我，
想清楚自己要的是什麼，
Be Real, then be Rich。

今年夏秋最豐沛的心靈補給線：
反虛華，Be Rich 系列活動，
請現在就開始為自己預約，
在一場場幸福富足的心靈宴饗裡，
與真實的自己相遇相知的驚喜。

欲望高溫不退・22℃刺激閱讀快感！

七月二十日至八月二十日整整一個月的全民閱讀歡愉，二〇〇六年誠品讀書節，現在開始消暑！

酷熱盛暑，靈魂饑渴，
求知欲高溫不退，
我們需要低溫的閱讀空間與另類的閱讀幻想，
集體享受最大的精神性歡愉！

閱讀，讓靈魂擁有最大的領空權！
杜思妥耶夫斯基帶我們遠走高飛，
狄更斯則引領我們貼近地面飛行，
聖修伯里把我們全引誘到了星際。

書是靈魂遨翔的翅膀，
翻開的那一瞬間，就能飛離受困的地表。

閱讀，讓靈魂走得比時間更快！
丹・布朗以兩小時的剝絲抽繭，

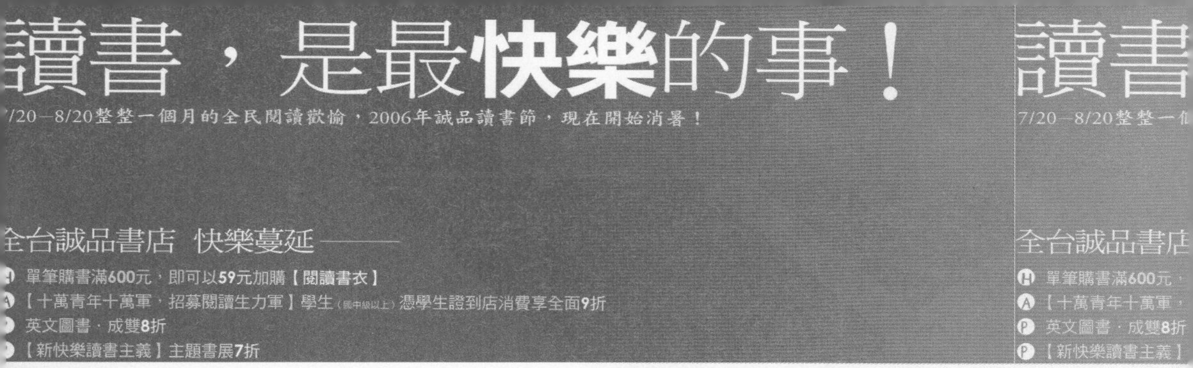

帶我們從天使與魔鬼之界迅速破案。
J・K・羅琳以文字魔法召喚超現實的異想世界，
同時解答了我們的生命謎團。
跟著達爾文與小獵犬號，
一個晚上就可以走完耗時五年的演化地圖。

誠品書店二〇〇六年讀書節
閱讀，是靈魂最高的狂喜！
葉慈在催眠曲中偷窺巴厘斯王子，
在黎明初醒的海倫懷中，
整個世界的警報都吵不醒他。

文字形成句子之後，就有了祕密；
句子裝訂成書之後，就有了魔法。
作者的好奇心可以自由穿梭時空，
但更有想像力的我們，
可以決定何地開始一首情歌，何時看到懸疑的結局。

今天的誠品讀書節，要無所不用其極地，
全方位刺激你的視聽快感，盡享閱讀的驚喜初體驗！

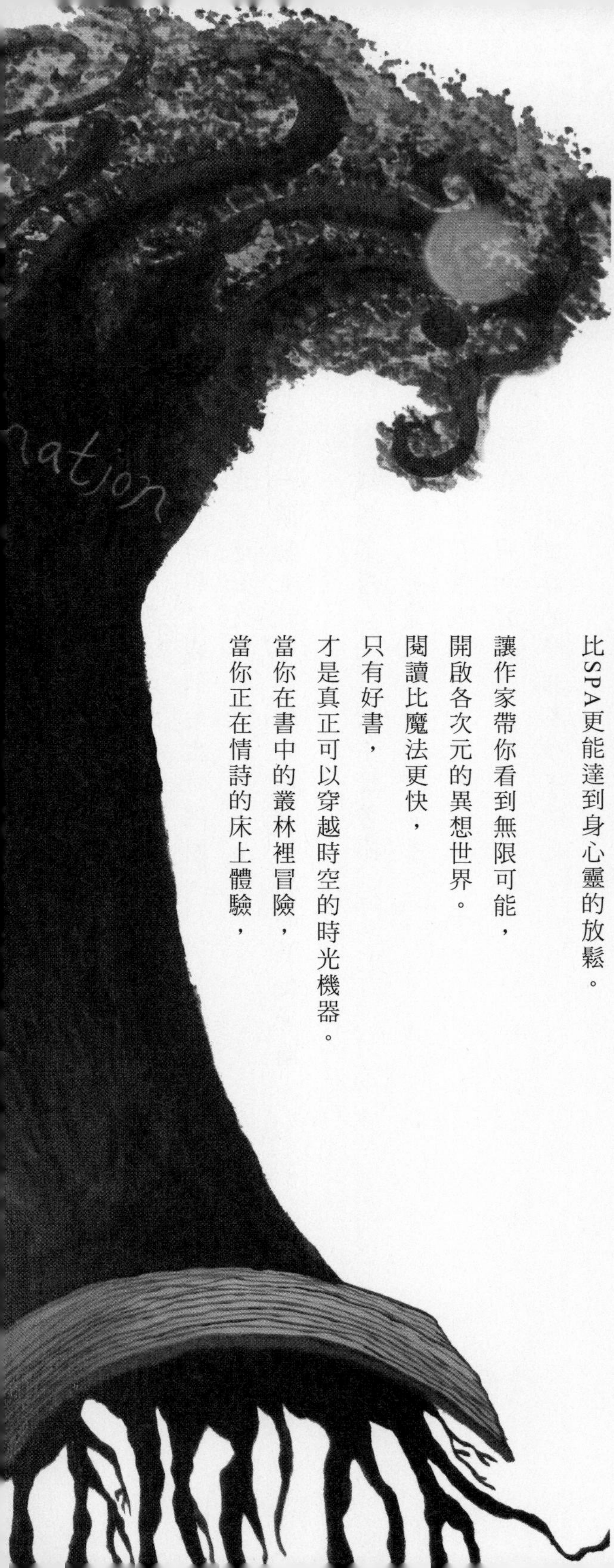

(A)名人系列導讀座談・活動文案

比足球更刺激，比狂舞更爽快，
比美食更滿足，比烈酒更癡醉，
比愛情更讓人有安全感，
比SPA更能達到身心靈的放鬆。

讓作家帶你看到無限可能，
開啟各次元的異想世界。
閱讀比魔法更快，
只有好書，
才是真正可以穿越時空的時光機器。
當你在書中的叢林裡冒險，
當你正在情詩的床上體驗，

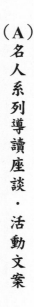

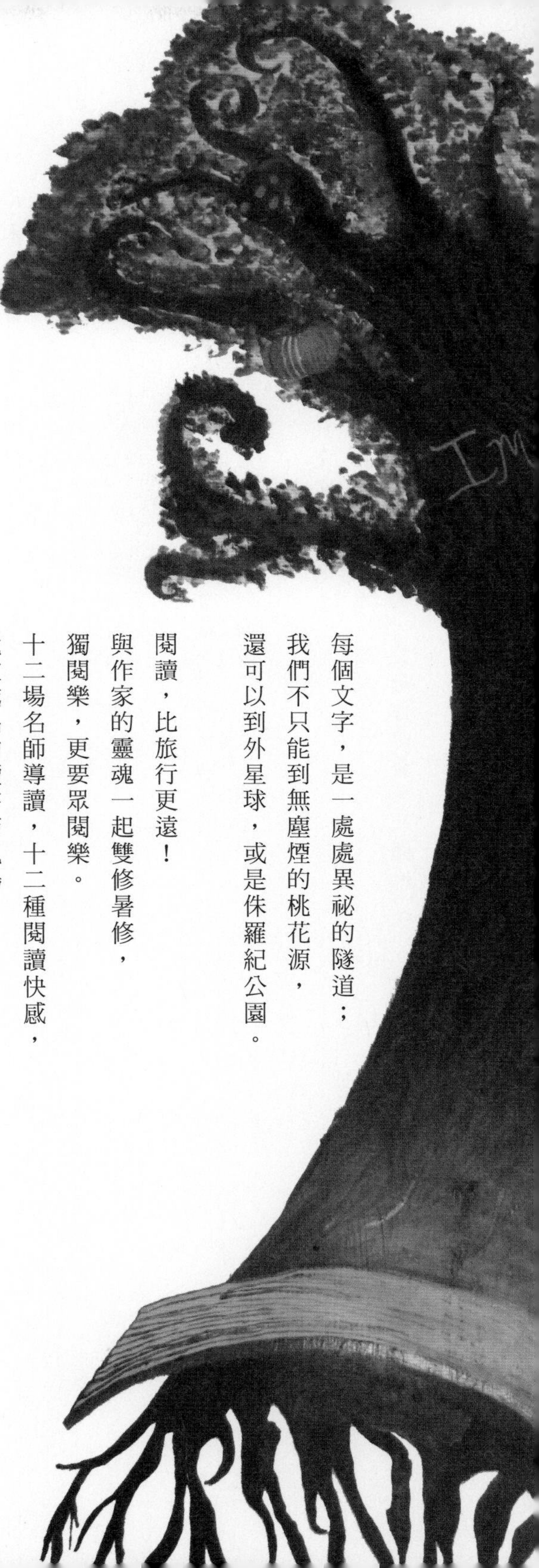

每個文字，是一處處異祕的隧道；
我們不只能到無塵煙的桃花源，
還可以到外星球，或是侏羅紀公園。

閱讀，比旅行更遠！
與作家的靈魂一起雙修暑修，
獨閱樂，更要眾閱樂。
十二場名師導讀，十二種閱讀快感，
就在誠品的讀書節現場。

（B）學生優惠・活動文案

閱讀，讓靈魂比身體更自由。
不必急著脫掉制服，
帶著可以幫你打折的學生證，
站在書架前面，數一數，
自己可以帶回幾本幸福！

去吧！去書店找一位陪你探險到明天的作家！

誠品二〇〇七讀書節「轉變，從一本書開始」活動，七月六日至八月十九日與你一起，在書的浩瀚地圖中冒險。

自古至今，所有的作家們都還活著，並且正在對你講話。

主張人生而自由平等的盧梭《社會契約論》，
催生了美國獨立宣言、法國人權宣言。

一本《馬可．波羅遊記》，讓哥倫布從西班牙轉向中國，
途中發現了美洲新大陸。

億兆本書，宛如天際。

數學家約翰．納什在星空下找出暗藏於中的密碼律則，
我們也可以在無盡的書海中，找到向我們眨眼的作家。

閱讀，所接觸的不只是文字而已，
而是瞬間接收作者的巨大創造能力，瞬間empower，
你的生命因此有巨大的能量與勇氣，於是你能義無反顧地

改走自己真正想經歷的旅程，一路都有這些勇敢的作者相伴。
當時被人們誤解或是遺忘的作家，在我們經歷過生命滄海之後，
終於都讀懂了他們當時的遠見。

《小王子》，幫我們在孩提時就儲備好了，這一生所需的夢想。
《切・格瓦拉傳記》幫我們在青春期就儲備好了，這一生關鍵時刻的革命勇氣。
《莊子》幫我們在起航時就儲備好了，這一生驚濤駭浪時所需的轉彎智慧。

書永遠在彼岸等我們，
它永遠最有耐心，等著我們拿起它，快讀，慢讀，停下，闔上，忘了，拋棄——
它還是繼續等著，等你戀愛、又失戀了，等你經歷更多的生命風雨，
等到有一天有人向你提起了它，等你再度翻閱它，體驗它，
等你再度在它身上找到新生的力量，
書是你一生旅程中，永遠不離不棄的好友。

去吧！去書店找一位帶領你冒險到明天的作家，
去書店找一本轉變你未來航道的書，
讓書在你的黑暗中點燈，讓書為你的寒冬中添燒溫暖，
讓書帶你體驗無重力的飛翔！
你所選的書，就是你將成為的人，
誠品二〇〇七讀書節，七月六日至八月十九日期間
將在全省四十六家誠品書店，親眼目睹你的驚人轉變！

七月・八月・九月・十月・十一月・十二月

七月

慵懶的熱暑，
很適合信仰一種藍色。

買幾本清涼洗腦的書，
在仲夏夜的涼椅上吹風，
愉悅地
享受依然故我。

八月

父親從我們很小的時候，
就教我們認識這個世界。

現在，
就讓我們帶著幾本新書的知識，
謝謝他，
讓我們誕生在這個趣味無窮的
大千世界。

九月

與家人約好在中秋，
一如往常
例行團圓。

這次我打算帶幾本
重量級的好書，
走在月光之下，
衣錦還鄉。

十月

一觸即發的煙火，
指出了我們仰望的方向，
點亮了南臺灣的知識文明。

全部的人都在用靈感慶生，
你在書店
就可以撿到滿天滿地的
靈思片羽。

十一月

蘇格拉底點了第一根蠟燭，
柏拉圖吹熄了，

亞里斯多德接著許願。
讓我們切著知識甜蜜的蛋糕，
一起向誠品台南店說，
生日快樂！

十二月

台南沒有雪，
還不必用到火爐的耶誕節，
我們仍可以圍上圍巾，
在火鍋
及一支雪白的牛奶冰棒之後，
抱著一本書
取暖。

讓我們感謝，一起許願圓夢的十八年時光！

二〇〇七年三月二十三日至四月十六日，誠品十八週年慶，邀您一起來重溫我們的夢想足跡！

人的偉大，在於他是橋樑，而非終點。
那些心胸寬闊、不需求感謝的人，他們永遠在付出，而未嘗保留。

——尼采（1844~1900）

十八年前還在臺北仁愛路圓環的誠品，
無法想像十八年後，
會有怎樣的風景與規模。

十八年夢想的里程，竟是如此不可思議之遙——
眼前本來只有兩百公尺的視線，
憑著對明日無私、無懼、無畏的信心，
一步步地堅定向前。

無以數計來自全球各地的文化人、影音圖文、生命作品……
在誠品匯流集散，形成一股生生不息的能量圈，
如今北到基隆，南抵屏東，四十六家店遍地開花，
影響了上千萬曾在誠品看書、喝咖啡、聽演講、欣賞藝術、添購新生活的人，
也改變了他們往後的生命。

誠品十八歲之美，
在於她是橋樑，而不是終點，
在於你的陪伴，而未曾離開。
二〇〇七年三月二十三日至四月十六日，讓我們再度相聚，
一起感謝十八年的圓夢時光，一起慶祝十八年的生命豐收！

十八歲獨立宣言：我，一個創造者誕生了！

誠品十八週年慶，二〇〇七年三月二十三日至四月十六日，
與全世界分享：十八歲巨大的夢想創造力！

十八歲，
不是比十七歲大一點這麼簡單，
那是一種神聖的聲明，
等於向全世界宣告：
從今以後，我已經完全獨立了！

我可以百分之百地決定
之後人生的每分每秒
可以做什麼、值得擁有什麼、
能為這個世界帶來什麼非凡的驚奇！

當我想去旅行，就是背起包包走出門就好。
當我想跳舞，所到之地就是我的舞臺。
當我想去愛，每個人都是我的戀人。

當我想唱歌，全世界都是我的聽眾。
當我想要自由，眼前每一條都是我的路徑。
當我想去夢，整個宇宙的能量，都繞著我的夢成真！

不需崇拜偶像，不必聽命於誰，
當我決定開始對自己的命運負全責，
當我全心聆聽自己真正想要什麼，
此時此刻，就是我思想最有力量的時候，整個世界都會聽我的。

活著，做自己，隨心所欲，就是最大的成就。

把自己活成一個最神奇的創造者：
從無到有、無所不能、心想事成，
活出最美好的版本，
好到不想跟其他人交換我的人生！

這個世界，
因為我十八歲，
因為我無上限的想像力、我的無窮盡的活力，
已經變得很不一樣了！

F

欲望合理化・集體利益・價值重新理解

原來每個人都這麼友善，大家的關係可以這麼好。

腦力決勝論：一千元價值之重新理解

一千元買不到一付眼鏡，卻可以買到比爾．蓋茲的眼光。

一千元看不到幾次心理醫生，卻可以買到一輩子受用的EQ智慧。

一千元請不到一位趨勢顧問，卻可以買到爆米花報告的未來商機。

一九九七年新局勢當前，腦力決勝未來。

企業取代學校，唯有加強公司內部人員的學習能力，才能因應變局。

想豐富財庫，必先充實智庫，

誠品圖書禮券是你精神犒賞員工，再造企業生機的最好選擇。

一千元價值之重新理解

為什麼公司成員智商都在一二〇以上，團隊智商只有六十二？
為什麼七〇年代五百大公司，在八〇年代有三分之一消聲匿跡？
為什麼大型企業平均壽命不到四〇年，只有人類壽命的一半？

——《第五項修鍊》

一千元的最大邊際效用，可以是圖書禮券的形式。
以老闆豐厚的「才」力，開立有價的智慧支票，
以書香代替銅味的智慧加歲錢，
和平轉移老闆的智慧財產權。

生生不息的知識，
讓員工成為最有價值的球員！

新欲望法則：兌現圖書禮券的十二種方法

一月一日，兌現村上春樹的彈珠玩具，
二月十四日，兌現羅蘭巴特的戀人絮語，
三月八日，兌現西蒙．波娃的女性自覺，
四月四日，兌現小王子的想像力，
五月五日，兌現聶魯達的靈感，
六月六日，兌現波特萊爾的憂鬱，
七月七日，兌現莎士比亞的愛情，
八月八日，兌現傅雷的家書，
九月十六日，兌現張愛玲的一生，
十月十日，兌現賈西亞．馬奎斯的秋天，
十一月十一日，兌現米蘭昆德拉的玩笑，
十二月三十一日，兌現卡爾維諾的世紀預言。

延長送禮的有效期限，
取代入口即化的蛋糕，及美麗不過三天的花束，
一年三百六十五天，全省十一家誠品書店，
隨時均可兌換一生智慧的即期支票。

誠品圖書禮券，讓您的心意在字裡行間，陪他／她一輩子。

一千元為夢想之本

一千元，能讓一個人享受幾小時？
一千元，要一個人為它付出幾小時？
一張一千元能怎麼用？
很多張一千元又要怎麼花？

把圖書禮券當成支票，就有很多的想像空間。
兌現的時間是自由的，兌現的地點是自由的，兌現的內容是自由的。
能在不朽和緩慢之間選擇米蘭昆德拉的自由，
能在彈珠玩具和發條鳥之間選擇村上春樹的自由，
能在天母中山北路和屏東中正路之間選擇誠品書店的自由……。

一千元的禮券，因自由而有無限的價值。

當蝙蝠飛完時——《誠品閱讀》期待您的回聲

蝙蝠，沒有視覺，
憑著場域回應的聲訊辨認方向，
如果環境過於複雜，訊息過度混亂，
牠會撞壁受傷，

如果四周太過空曠，所發出的聲納得不到回應，
牠也會找不到方向，橫衝直撞。

經營四年的《誠品閱讀》選擇停刊，
我們只是想停下腳步，
在空曠的場域中，
渴求閱讀環境的回聲及您主動表達的強烈訊息，
好讓我們更易辨認以後的方向，
為了下一次，更完美的飛行……

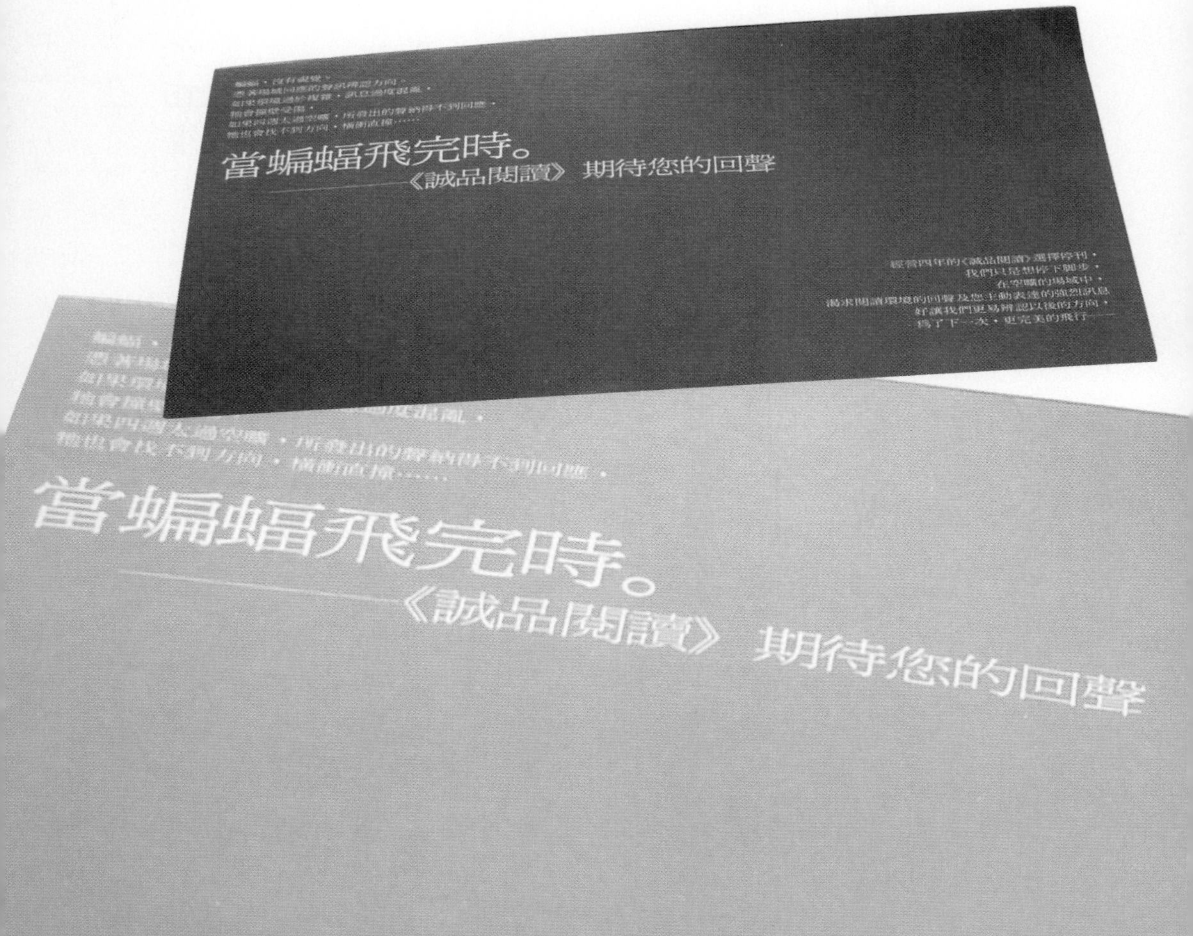
當蝙蝠飛完時。
《誠品閱讀》期待您的回聲
經營四年的《誠品閱讀》選擇停刊，
我們只是想停下腳步，
在空曠的場域中，
渴求閱讀環境的回聲及您主動表達的強烈訊息
好讓我們更易辨認以後的方向，
為了下一次，更完美的飛行——
如果四週太過空曠，所發出的聲納得不到回應，
牠也會找不到方向，橫衝直撞……
當蝙蝠飛完時。
《誠品閱讀》期待您的回聲

誠品閱讀——期待你的回聲

《當蝙蝠飛完時》是一部電影的名字。當時非常迷戀這六個字所組成的無聲意境，像是在安哲羅普洛斯的《霧中風景》裡。直覺想用《當蝙蝠飛完時》來做這次主題的包裝，蝙蝠在太空曠或太複雜的場域，會因為找不到方向，或是回應太亂而撞壁受傷，就像出版市場，不是沒反應要不就是訊息紊亂，輕易地將一本好雜誌夭折。

說再見一向不容易，沒有人能保證以後是不是有機會再見。正因為太多變化未知，那種也許可能不能再見的可能，讓「說再見」挾著一份不捨之情。

當蝙蝠飛完時，閱讀沉寂，我們仍渴求您的回聲。

誠品閱讀各期主題回顧展

沒有椅子，咖啡館擠得使我們無法分離。
越過音樂和音樂拼圖的分界河，
去同性戀的書店送信。
愛情翻開
風打翻了一整座的藝術村；
所有的文字四散，只留下一條路，
和一件不再悅己者容的美麗服裝。
沒有電影與認同，
我穿越孤獨，
以讀酒的憂鬱飛行，
用時間忘記激情，沒有成功，
空洞的目光有如家變後的和平。
改行做女體攝影的卡蜜兒說：
再給我一個名字吧！
我要表演成羅丹。
在藝術節的夏天中，
當蝙蝠飛完時，
以最動人的回聲，向永恆告白。

誠品閱讀人文特刊
eslitebookreview 13
電影與認同
地域、性別、種族、青少年、文化

誠品閱讀人文特刊 1993年4月15日出刊
eslitebookreview 9
飛行
心靈VS.地心引力

讀一段文章、交一生朋友

《講義》雜誌讀者讀書會文案

余秋雨說，學生讀書要靜讀，才能默默體會，
畢業後人生感受雖然成熟，閱讀上反倒處境孤立無援，
這時就要多找機會和人交流讀書訊息。

知識，有循環才有活力；智能，因流通而倍數增值。
《講義》，一本行走臺灣人精神領域十多年的雜誌，
規劃出一連串主題讀書會——
交流加強感應，交談共掘深度，
一本書，加了每位讀者的人生閱歷，
將有不同的解讀力道，和生命質地。

《講義》請您密切注意每一場精彩的讀書會談，
讓我們一起以書香廣結善緣，
讀一段一生受用的好文章，交一生為伴的好朋友！

真情煮沸，茶言觀色

《講義》雜誌讀者茶敘文案

以虛心的壺，滾燒百度的熱情，
先沖去茶葉和初見面的青澀，
再加一次熱水，
讓每位對《講義》的珍貴意見，
如同葉片般舒展開來；
融會一段時間後，
借著嚴格的期許，過濾餘渣和缺失……

茶，和諍言一樣，能明目、善思、去膩、清心，
得之則安，不得則病。

烹茶需甘泉，解文需善友……
《講義》因茶而滿室生香，因您而改善更好，
春季讀者茶敘，
茶已備好，期待您的親臨指教！

學習禪坐
是你一輩子能給
自己最大的禮物

在地小人稠、過度複雜的環境裡，
有限的生命都消耗在無盡的不滿、焦慮、追逐和爭奪上；
朝九晚五慌動不停的腳步，心都忙得沒有時間沉澱雜質，
碌碌一生究竟賺到了什麼，失去了什麼，
人，為什麼總是把最珍貴的寧靜留在死後？

寧靜，是讓生活越來越簡單，
智慧，是讓自己越來越有力量。
佛教高僧說，練習禪坐，
是最好、最快、最有效的清靜覺悟之法。

講義堂的禪坐會，在你最想安靜的時候，
留一個位子，讓你把心帶回家；
不管你是年輕、中年，還是老年，
學禪，永遠不會太早，也不會太晚，
現在，是你一生中最好的學禪時機！

《講義》雜誌登山活動文案

看一段好文章
走一程好山水

您多久沒爬山了？

張潮說：文章是案頭的山水，山水是大地的文章；
山，不是死了萬年的標本，而是活了萬年的生命。

走過《講義》的人文山水，更要走進自然留給我們的大山大水，
因為山可以提高我們的視野，水能加強心靈的景深，
讓急促不安的呼吸，和靜立十年的大樹一起吐納，
讓匆忙奔波的腳步，與千年沉疊的土地一起脈動。

講義堂登山會，請您起個大早，
與同好們一起走進：大自然橫亙萬年的人格學校，
探訪書本之外的人文山水，走進生生不息的第一現場。
以年輕的力行腳力，走中年的寬廣格局，享受老年的無限豁達！

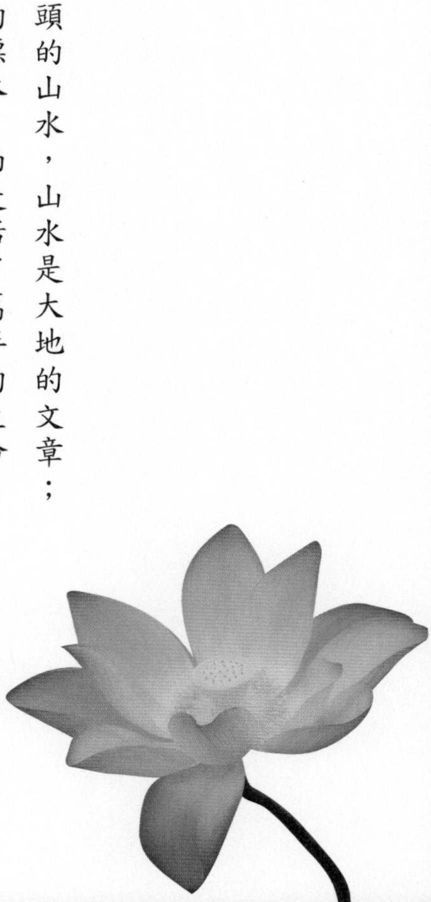

富邦講堂，夏季尖峰供電中

在這個比速度、比頻寬的高度競爭時代，
面對突來的舞臺、機會、變局，
一個人數十年的經驗、智慧被科技商業大量消耗殆盡，
資產一夕之間被掏空的能源危機，
哪裡找得到源源不絕的精神礦源？

富邦講堂，延攬八方功力深厚的師資，每週發功給你，
做你關鍵決策的寶貴智囊團，按節氣供應
網路世紀的四大能量：創意、人文、美學、遊移的行動力，
有效率地提供高單位的補給，
讓你在四處擠兌腦力的數位時代中，
遊刃有餘。

講堂指示一

二十世紀初，一群藝術家在巴黎匯集，我們想知道的是，
當時的文明如何刺激他們源源不絕的創作分泌？
而這些基因，在二十一世紀初的今天，還有多大的新效益？

講堂指示二

身為中華文明的後裔，經過幾番華洋雜處之後，
我們還保有多少美學的血統？
是否可以從中國的古書畫工藝中，找到一點前世不可自拔的感動？

講堂指示三

身體在空氣中流轉，一種極美的動能，釋放了不安的靈魂。
我們想要凝視，每秒姿態之下，每一門值得深究的靈魂力學。

講堂指示四

洞穴是上天給的，自我們被逐出伊甸園後，
建築師開始建構有溫度的城市，收容被放逐的情欲，
讓亞當夏娃的感官，有一個不再被詛咒的人間天堂。

講堂指示五

明天是用來想像的，對於數位時代，我們必須跟上東京最Top的展示，
從影像流光中找到一輩子的快感，除了創意，我們只能用魔術應對。

講堂指示六

流行是一種預言，預言一種信仰的可能，預言一條眾人追隨的路徑，
預言一種風格，一種特別色，一次大規模移民的風潮。

希臘羅馬時代開始雌雄同體，僧袍與修女從中世紀活到現在，
至今仍走在英國的伸展臺上。
關於性別與服裝，你得學會語焉不詳，
超現實是一種很好的現實夢境，永遠符合未來的期望。

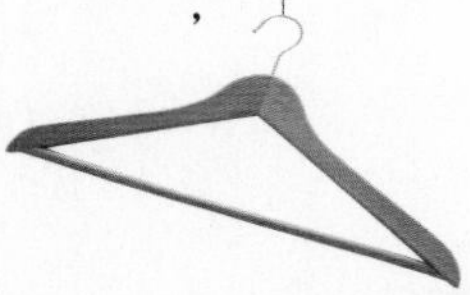

講堂指示七

在每個觀光景點之前，人人都自許為攝影師。
一台相機宣示到此一遊的存在證據，除了用安全感浪費底片之外，
我們該再多學點美的本事，即使是一台不具專業架勢的拍立得，
只要是會說故事的導演，就可以有一張充滿劇情的傑作。

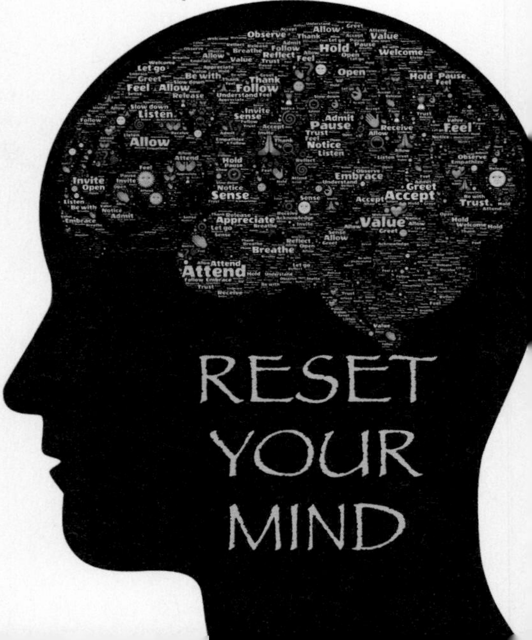

講堂指示八

在越來越快的數位時代，我們想起了老子、莊子、逍遙遊。
自強不息的入世肉體，有一個疲累至極的靈魂想出世，
我們找到一個人，她會帶你去一個地方，暫時隱居幾小時。

講堂指示九

歷史上第一次從封建出走，道德解禁的心靈革命——
六朝的靈魂都醒了，好惡愛欲解凍之後，都鮮活起來開始寫詩。
在城市裡迷路的我們，需要這股強大的力量，洞悉生死的迷障，遇見久違的自己。

講堂指示十

好玩又停不下來的DNA，永不滿足的味蕾，
要有一個可以玩到忘了回家，足以體驗酸甜苦辣的城市天堂。
茶、咖啡、酒是研究對方心理的最好線索，享樂是明天會更好的生存法則。
想要成為一個自得其樂的城市玩家，你得學會一些新遊戲態度。

講堂指示十一

我們要目睹一件藝術從一個人的身體裡激動地走出來的分娩過程，
就到藝術家工作的第一現場吧。
這是一次虛擬實境的靈感旅行，我們已請到最好的導遊全程陪你。

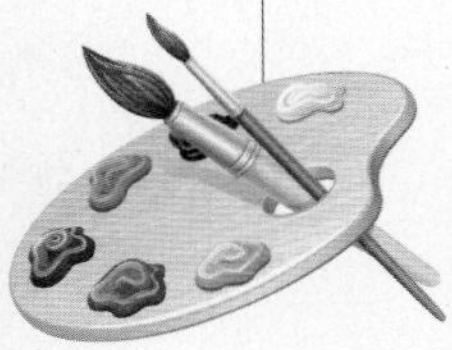

我們應該把每一天
獻給藝術所帶給我們的每一場生命奇蹟

時間

在我們的生命中有若干個凝固的時間點，
卓越超群、瑰偉壯麗，
讓我們在困頓之時為之一振，
並且彌漫於我們的全身，讓我們不斷爬升，
當我們身處高處時，激發我們爬得更高，
當我們摔倒時，又鼓舞我們重新站起。

——華茲華斯（引自《旅行的藝術》）

人生是一場美麗的旅程，在每次不經意的駐足時，
藝術便在我們眼前，慷慨地展現一望無際的驚奇。

富邦藝術基金會自一九九七年開始，已經舉辦了上百場的展演與講座，
所有由精彩生命所分享出來的驚喜，
已經在上萬人的生命中，埋設了幾個重要的時間點，

在他們心靈需要蛻變或昇華時，
悄悄地發生了作用。

富邦藝術基金會不只是一個藝術展演中心，
而是一個讓生命交相激盪的場域，
每日每夜，進行著希臘哲學家所謂的「實踐的幸福」。

創意

我的感官需要重新調整，來體會夜晚裡堅實土地，
風的感覺，以及沉靜的聲音。

——艾倫．迪波頓

創意是什麼？
就是換一個全新的目光看世界，
就如同普魯斯特所說：
真正的發現之旅，不在於找尋新天地，
而在於擁有新的眼光。

以一種新的高度，新的速度，新的向度望著我們的生活，
一年不再只有四季更迭，一週不再只有日夜交替，
一天不再只有二十四小時生滅，
我們可以用佛羅倫斯的月光，佈置家的溫馨，
用濟慈的眼光對待情人，
踩著馬勒巨人交響曲的節奏去上班，
以林布蘭畫一幅人像素描的時間，端詳家中的老奶奶……

富邦講堂，請了建築、藝術、美學、
宗教、文學、旅行、美食……
各領域的名人，
為我們看世界的眼光，做了一場場生動的導覽，
於是單調不變的視野轉換了，
我們的日子突然變得豐富多彩。
新的意義從我們舊的觀看模式中掙脫出來，
這是他們為我們趨於常軌的生命旅程，
所做最大的革命與冒險。

藝術

倫敦是沒有霧的，因為惠斯勒把這霧畫了出來，倫敦才有了霧。

——王爾德（引自《旅行的藝術》）

藝術，以一種獨特的生命形式，
傳遞著藝術家從靈魂底層蔓長出來的情緒與價值，
引發了我們靈魂深深地顫動。

霍姆斯說：伸展至新思想的心靈，
絕不會再回歸其原先的視界。
藝術家眼中的世界，是如此的與眾不同，
於是我們有了一雙奇蹟般的雙眼，
有了一張全新的生活地圖，
就如同伊塔羅．卡爾維諾在《看不見的城市》所寫的：
艾斯瑪拉達的居民，免於每天走同一條路的厭煩，
在階梯、駐腳台、拱橋、傾斜的街道之間上上下下，
每個居民，每天可以享受從一條新路
抵達相同地方的樂趣。

富邦的藝術小餐車，已經為我們上了非常多道慶典般的靈魂饗宴，
藝術以各種新鮮的形式，在人與人、人與城市間流動著，
讓我們在沒有規則的夢境中，盡情盡性地遊戲著。

氣味

一陣突如其來的香氣，喚起了波戈諾山區湖畔的童年時光……
另一種氣味，勾起了佛羅里達月光海灘的熱情時光……
第三種氣味，讓我憶起全家人團聚在一起的豐盛晚餐、燉肉、麵條布丁和甜薯。
——黛安·艾克曼（引自《感官之旅》）

藝術，以一種無條件的美，
將你與他人形成一種感動的聯繫，
這個世界便以超乎你的想像方式，展現出她的大千風景。

這裡不再是博物館，
是一個可以聽到呼吸與話語，
可以聞到人與作品氣味的藝術市集，
世界上沒有比氣味更容易記憶的了。

在這裡，我們都變成了好奇好動的孩子，
眼前的一切，都成了愛不釋手的玩具，
就如同英國桂冠詩人曼斯斐爾所說：
在快樂的日子裡，我們變得更聰明。

T 2331-7370
E 2371-0373
L 2371-0327
明星西點咖啡
CAFE
ASTORIA

明星經典

從一九四九年紅到現在的傳奇美味！

一九四九年，那是一瞬間創造最多明星的時空！
從俄國、上海，到臺北，
Astoria跨越邊界、穿透記憶，
成了永不可被抹滅與取代的經典美味！

一九四九年，簡錦錐與俄國沙皇侍衛長喬治·艾斯尼等六位白俄羅斯皇族後裔，把記憶中的美味，從上海霞飛路延續到臺北，在武昌街開了「明星西點麵包廠」，由白俄人的妻子提供食譜，烘焙出許多經典的西式糕點。一九五〇年，在麵包店的二樓開了「Astoria」咖啡館，Astoria就是俄文的「明星」之意，讓剛出爐的俄式甜品、沸騰的咖啡香、柴可夫斯基的高昂、人的興奮夢想……一起在這個空間裡，激盪出無數個改變全臺灣的經典靈感！

楚戈的畫、林懷民的舞、周夢蝶的詩、黃春明的記憶、白先勇的故事、王禎和的小說、侯孝賢的電影、賴聲川的劇本、李泰祥的音樂、季季的理想、許舜英的創意、龍應台的省思……都從「明星」的氣味裡蘊生出來，這裡就是臺北最豐沛的靈感發源地。簡錦錐沒想到，在這個全臺北第一家咖啡廳的小小空間裡，居然演化了一部台灣藝文創意史！

周夢蝶、黃春明、白先勇、七等生、林懷民、侯孝賢、賴聲川、陳映真、劉大任、李泰祥、楚戈、許舜英、龍應台……這些經典人物，至今還在影響著我們。六十年一週期，這裡即將再度復興一個新的明星時代！

圖片提供：可樂

圖片提供：黃木瑩

明星以經典的口感與氣味，
把上個時代的創意爆發力，
透過你的六感，風華繼承！

「明星咖啡屋」仍保留這個全臺灣最有創造活力的空間，老師傅的手藝繼續烘焙出觸燃靈感的美味。等你來這裡點一杯，可以寫出撼動下個時代故事的俄羅斯咖啡；等你來嘗一口，靈感可以穿梭時空的松露巧克力蛋糕；等你來含一枚，夢想可以瞬間成真的俄羅斯雪國軟糖……這些口感與氣味，都是啟動創意最大的觸媒。

明星咖啡屋的明星商品，保留明星風采的氣質口味：
綿密入口即化，蔣方良、摩洛哥王妃格蕾絲·凱莉最愛的天使巧克力。
德式巧克力蛋糕，是白先勇在臺北最甜蜜的記憶。
陳映真、黃春明最難忘，以上等里脊肉為食材的明星肉絲炒飯。
加桂皮與丁香的俄羅斯咖啡，是賴聲川、林懷民啟動故事靈感的氣味觸媒。
以極品核桃、葡萄乾、桂圓所凝成的爽口老俄核桃糕與明星紙盒，
讓創意人許舜英愛不釋手。
香軟不膩，餡料扎實的鳳梨酥，
榮獲二〇〇六年臺北原味鳳梨酥大獎的明星光環。
酥脆香醇的手工餅乾，是蔣徐乃錦難以割愛的幸福時光。

最有魅力的女人，把典範都留在這裡了！

【優家雜誌三刊形象文案】

修身

身體是心靈的殿堂，必須美麗
所有文明的不老秘方
都在這裡出土

身體是心情的風景，也要換季
春卉、夏浪、秋楓、冬雪
都在衣衫展演

最有魅力的女人，把典範都留在這裡了
她們旺盛充沛的自信
刺激我們美麗荷爾蒙與時尚激素
〈修身〉就是吸引目光的伸展台
一翻開，就讓妳愛上自己的獨一無二

齊家

女人，是一整個家最重要的心靈地基
支撐著男人、孩子、兄弟、父母公婆
她的智慧可以調解家裡的大小紛爭
她的知識可以解答每一個人的疑惑
她是全家最安定的精神支柱
也是最能傾聽的心靈諮商師

家，是與所愛的人一起建構出來的小宇宙
有創造力的女人，就是生活的繆斯
她佐花入菜，以驚喜料理三餐
有美學風格的餐具、花器、家飾、床單
全是她發揮藝術天份的生活舞臺
她是全家人的生活導演
也是幸福氛圍的空間設計師

她懂家庭醫學、節氣養生
比任何一位醫生更關心全家人的健康
義不容辭照顧家門外需要幫助的人
她的母愛還擴及地球，源源不絕
她是這個星球最有責任感的守護者

每個有生命歷練的女人
內心必須夠強大，但也都需要被支援
〈齊家〉就是每週最高單位的能量補給品
是妳最重要的智囊團，給足全家人所需的新知
也是妳生活的創意來源，為家增添世界級的靈感
更是妳最強大的精神後盾，為妳分擔重擔，
為妳的幸福保鮮

遊天下

女人從廚房走到辦公室，還繼續走向全世界

赴京都為女兒找到櫻花的髮飾
去希臘為家找到愛琴海的顏色
到印度為自己找到心靈的安定
在巴黎為愛人找到浪漫的驚喜

所有夢想探險的地方，〈遊天下〉都先幫妳踩點
每週六我們約好，不帶護照，不拎行李箱
就帶好奇心，跟著我們一起環遊世界

【周末畫報】形象文案

每七天就是一個全新的時代，每一頁都是中國的現在未來式！

這個世界變化太快
很多東西還來不及命名
每七天就是一個全新的時代
每一頁都是中國的現在未來式！

沒有經緯度的隔閡，沒有時差的框限
臺北、東京、倫敦、米蘭、巴黎、紐約、墨爾本……
近到就在前後兩頁，一翻頁就跨到了南半球！

〈新聞〉是望遠鏡，從歐美到中東，帶你目睹第一現場
〈生活〉是透視鏡，從宮廷宴到法國菜，邀你享樂當下
〈城市〉是廣角鏡，從上海到台北，隨你轉機過境場景
〈財富〉是放大鏡，從黃金到外幣都是手中的無限籌碼

這不只是一本有角度、態度、深度
而且還是最有速度的菁英讀本！
來不及預言的國際政經動向，剛捕捉到東西文化風潮
關於全球變局的蛛絲馬跡、人與物的最新情感……
我們都以第一手採急情報，交到每一位意見領袖的眼前！

【iWeekly:Picture of the Day】形象文案

你只須滑動手指，就能讓地球繞著你自轉！

當我們選擇了iphone、ipad
我們就自主決定了冒險的非凡血統
包括我們看未來的態度
都敢與眾不同。

拿回知識的優先定義權
連結世界雲端
直覺就是我們的閱讀途徑
文化、風尚、情感、極客、美食、樂活
全球的知識，在這裡都有了新的分類檔案庫

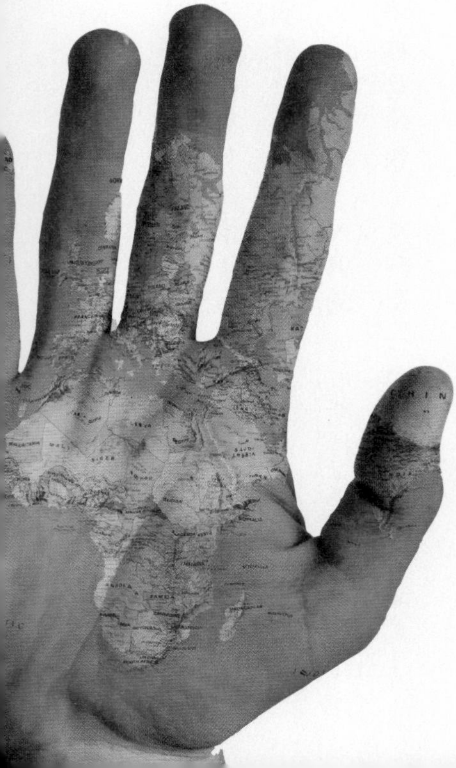

我們把全世界美好的文字與視覺激動
設計成一頁頁的櫥窗，濃縮進了你的iphone
你只須滑動一下手指，就能讓整個地球在你面前
以你想要的速度，繞著你自轉！

上海、北京、廣州、全球
這是世界的新介面，
也是最鮮活的紙上精品盛會！

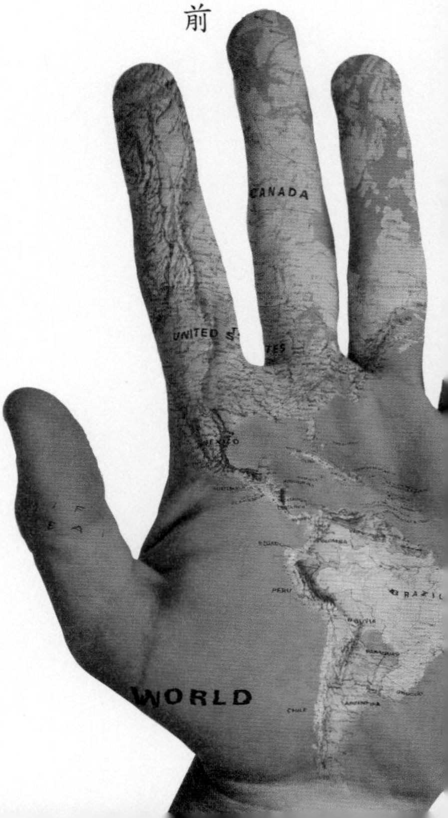

【商業週刊（Bloomberg BusinessWeek）】形象文案

預言未來的最好方式，就是由你親手創造它

你對金錢的看法，決定你與金錢的關係

為了看清全球的財富流向
我們深入東莞的工廠、溫州的錢莊
挖掘鄂爾多斯的能源、非洲的石油、以及澳大利亞的中國移民
觀察騰迅與淘寶怎麼創造下一代的新花錢方式
追蹤Iphone與社交網路如何連成了全球網路經濟體。

你看世界的角度，決定你與世界的關係

視野決定財富格局，我們從紐約請來最權威的財經專家群
一五二個新聞分社、二三〇〇位專業記者
以複眼看透每個觀點，不留視覺死角

從鷹眼看清來龍去脈，洞悉因果關係
借他們的世界廣角鏡，把你帶到地球之上
宏觀歐洲的風險、分析美國的走勢
微觀亞洲的牽動、特寫中國的機會

預言未來的最好方式
就是不動聲色、然後一鳴驚人地創造它

彭博社，
是當代最強悍、也是全球最大陣仗的財經資訊團隊
國際商業趨勢智庫，
每兩周就刷新全球價錢與價值的導航系統
給喜歡享受指數變化、無懼輸贏風險
與中國未來命運一起衝浪的財富玩家

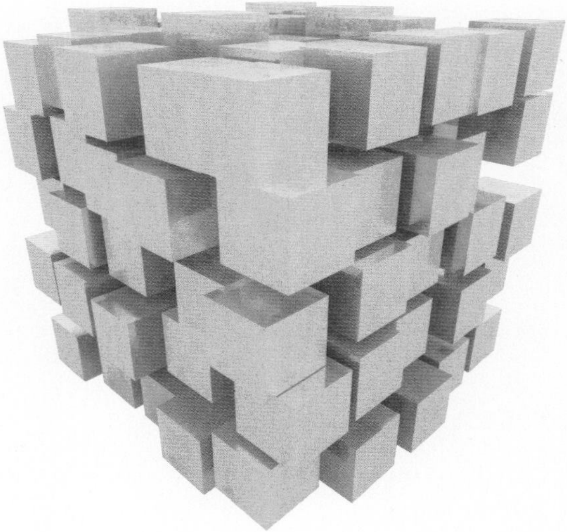

【生活】雜誌形象文案

每一頁的壯闊，他們都活出來了！

這裡的美沒有欲望、沒有野心，
大風大浪過後，壯闊而淡然，
人的時代。

歷經風霜的人很美，
每一頁的氣度，他們都活出來了；
發生故事的地方已成歷史，
每一頁的頓悟，他們都拍下來了。

這些美必須放大，文化的厚重必須留下，
永恆的經典，我們以超大開本展示出最美好的年代，

每一頁都是博物館收藏級的尺寸，
在中國的大街小巷，
每個書報攤都佔有一席之地。

當代最真實的呼吸、聲音、
氣味、腳印、光影……
所有感動開始發生或是結束的現場
你只能以靈魂深度閱讀
〈生活〉雜誌裡的「質」地有聲！

【藝術界】雜誌形象文案

把中國最繁榮的版面，留給這個世界上最美好的事物！

美不是你鎖定的目的地，而是一種能量通道！

一旦你的感官染上了藝術的激情，
你的世界就從此與眾不同。

東西方的美學典範，我們每期都會重新改寫標準
全球還沒被寫進當代史的前衛藝術家
在你眼前優先成為最新鮮的經典。

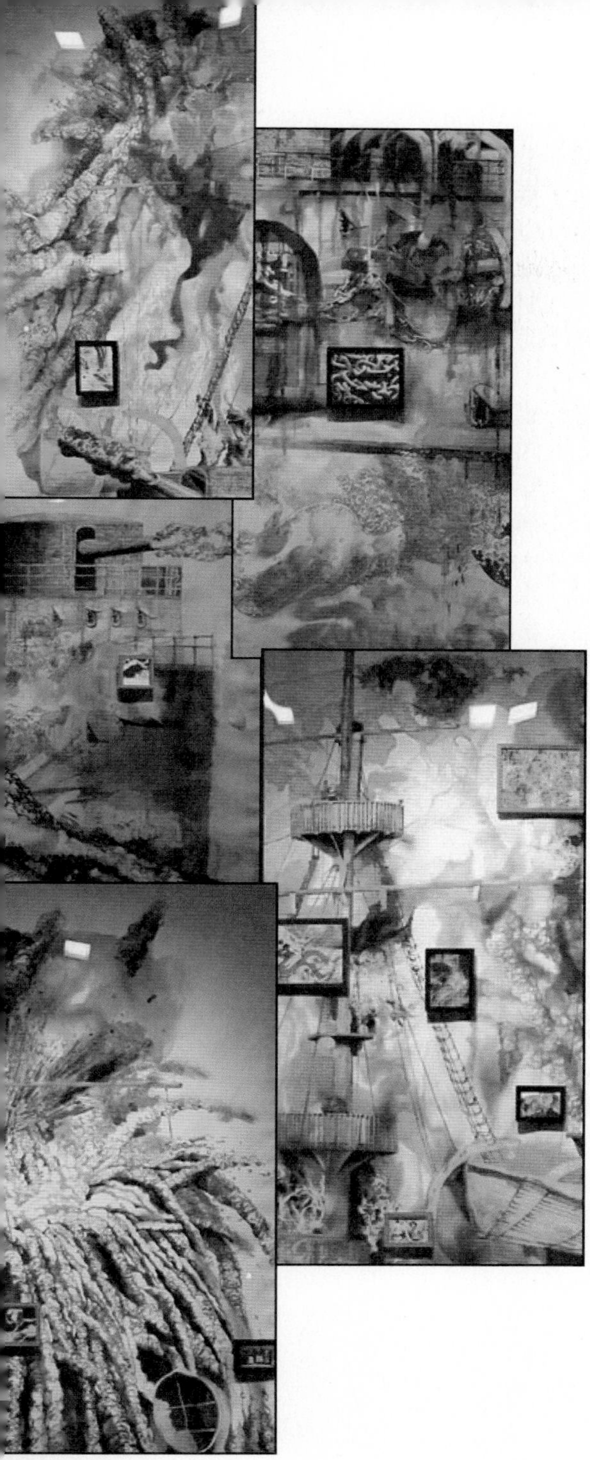

雕刻、繪畫、文本、裝置、影像、行動、
筆觸、色彩、觀念、主張、評論、人的精神狀態……
中國最繁榮的版面，留給這個世界上最美好的事物。

〈藝術界〉是全新策展的紙上美術館，每個月收藏一個黃金年代
當代的最新風向，藝術市場的春夏秋冬
你是第一批有權力賦予新義的鑑賞家
所有天價無價之美，都將在這裡感染你！

【天南】雜誌形象文案

絕不屈膝的文字，全中國最有脾氣的文學雜誌！

我們寫，放肆地寫，因為我們還活著。

巴黎公社期間，他們宣稱「巴黎要麼是我們的，要麼便不存在」
對〈天南〉而言也是：文學要麼是我們的，要麼便不存在！
這裡是中國百花齊放的文學自治區。

Chutzpah就是我們的精神
意思是：放肆，肆無忌憚、挑戰成規的勇氣。

〈天南〉以最真實的文字情感徒步人間
想要世界更好的狂熱、捨我其誰的使命
讓我們擺脫苦悶的命運，以文字之光
向闃黑的未來射出一條新路徑。

這是一本最有脾氣的文學雜誌
每一字一句
都是不容修改、絕不屈膝的文字態度。

這是一本正在吼叫的文學雜誌
只要還有一口氣，熱血未熄
我們將奮力書寫，
直到所有人被這些銳利的文字刺眼而醒！

凡是被我們目擊、詮釋、批判、反思、提煉過的一切人事物
全都納入我們的文字理想國。
詩、短篇、長篇、書評、專題……
浴火而生的文字靈魂，重建浩瀚的精神宇宙
自二〇一一年四月起，開始我們的天南文明。

【LOHAS樂活】健康時尚雜誌形象文案

天人合一不是退休後的境界，
而是你現在樂活的每分每秒！

你怎麼過今天，就怎麼過一生！

決定不再抱怨了，
從現在開始打造自己想要的生活：
身為綠色牧民，
你對時令節氣比匯率更敏感
對植物品種比股市更熟悉
堅持選擇綠色能源
你就是新生活的創世者。

我們是自己的有巢氏，
回到開天闢地、原始的純淨無染：

找最乾淨的土地、環境、水源、食物
把有機的品種拿到自家陽台來栽種
建立居家微生態體系，決定溫度濕度氣候，養蜂養蝶。
廚房就是綠色博覽會
羅勒、馬鞭草、檸檬、迷迭香、歐芹、甜葉菊、薄荷、西紅柿、百里香、月桂葉
全世界的茂盛都移植到餐桌上，擺成了花園盛宴
每一道菜上桌都是經典，永恆地留在味蕾記憶裡。

我們是自己的神農氏，嚐百草，慢慢活
深知體質穴位，對於保健漢方與植物療效非常嫻熟
只讓當季食物天然調理我們的感官能量，增強免疫力
以膠原蛋白修復情緒壓力，更新我們的身心周期。
除了好眠，你還可以決定今晚夢的味道：
甜橙、薰衣草、洋甘菊、或是杏仁。

大自然的季節就是生活慶典
日夜進行著希臘哲學家所謂的「實踐的幸福」
天人合一不再是退休後的境界，而是你現在〈樂活〉的每分每秒！

【新視線】雜誌形象文案

當你有了〈新視線〉，所有的舊勢力都會知難而退！

波西米亞的頹廢與布爾喬亞的奢華
嬉皮的搖滾與雅痞的時尚
就在左頁右頁
既不顛覆也不和解。

憤怒與狂喜就在同一篇文章的情緒裡
你可以恨意與快感讀這本雜誌：
從電音派對到隈研吾的夢想竹屋、從龐克鉚釘到皇室珠寶
精神錯亂的創意，永遠脫離地球運行軌道
最反骨的時尚，只挺另類的義氣
你的離經叛道總是撞到別人的目光！

前衛設計依荷爾蒙隨意轉向，永遠停不下來
創意江湖的底線朝令夕改，迷離又獨特
視覺系的末日奢華，比菁英更理性，比禪師更神秘
以藝術質疑一切勇氣
你必須冒險的讀，因為它一直挑戰你的禁忌。

現實是一連串不停翻頁的超現實幻覺
當你有了〈新視線〉，
所有的舊勢力都會知難而退！

【大都市（Numero）】雜誌形象文案

以中國視角，裁剪出法國最尖銳的流行風向圖

從法國而來，高速飛馳過後
時尚成了傳說，變成了神話
以中國視角裁剪出最尖銳的流行風向圖
御風御己。

時裝，這個時代最大的創意產業
風格，則是每個人可駕馭的身體帝國
標誌性的人物，從法國編輯室走向中國舞台
每一頁，都是一個人物的靈魂頂點。

原創是很奢侈的，像是嬰兒的第一口呼吸
刺激腎上腺素的視覺、有著濃郁氣味的性感
美麗是力量，也是都市適者生存的法則。

鬱金香紫、珊瑚礁紅、昆蟲鳥獸、日月星辰、鏤空流蘇……
都隨風走在布料上，
每一件時尚的衣與物，就是我們精心創造的微宇宙。

除了在香榭大道上展現魅力的女人之外，
今年最in的男性，
準時在春夏與秋冬演示兩次
他們的有稜有角。

這是一本為時裝而生的雜誌，也是全球時尚的發佈基地：
巴黎時裝周、古董拍賣會
歐洲還沒納入博物館的經典家俱……
這些美的伸展台，你都在場！

【號外】雜誌形象文案

在擁擠的現實與天馬行空的烏托邦之間，就是〈號外〉。

這個時代不能沒有〈號外〉
我們需要藉著他們既銳利又詩意的雙眼
搜出躲在平凡生活背後
那個璀璨刺眼的獨特光芒。

每一處被感動的地方都經典
美味透進了味蕾，巧思滋潤了身體流域
你以好奇心翻頁，刷新了自己的夢想速度。

香港很小
像是多面體的鑽石
全世界的樣貌都映在上面
高壓城市下的節奏明快，沒有一頁是多餘的

同時批判也同步啟蒙，同時創作也同步記錄
關於建築、家具、藝術、設計、美食、文學、旅行……
在擁擠的現實與天馬行空的烏托邦之間
〈號外〉是法則，也是境界。

G

政治・眾人・復活紀

所有跟人有關的場面，都是好玩但卻是一場容易輸掉的遊戲。
你手上無論有多少付豪華的賭具，都不要再對人預言了。

流行是一種躁鬱症，買到流行會很興奮，流行過了會很沮喪。
流行是一種無可救藥的出軌，見異思遷，總是背叛，
老是付不完的代價，收不完的帳單。

流行生死學

流行是一群人在一夕之間成為電子雞農。
流行是一群人想陪李奧納多狄卡皮歐一起沈船。
流行是一群人和麥可傑克森一樣忙著美白。
流行是一群複製成功的安室奈美惠走在台北西門町。
流行是三歲小孩身上貼有三〇歲大哥的暴龍刺青。
流行是一群受日本偶像劇教育的台籍日本人。
流行是一群穿直排輪鞋的現代哪吒出現在國父紀念館。
流行是一群只知道星座不知道籍貫的新星人類。

尋找流行的性別取向

她很俊秀，常根據不同的實驗性目的，和人或女人玩著追逐的遊戲。

愛她的人平白地哭得死去活來，她有點阮玲玉。

在戲劇的畫布上，她堅持用Peter Greenaway的電影配樂。其他人為一面畫布的所有可能引入的一切圖像自由度，只要詮釋三度空間的、長方形銀幕的一切設計，她一律不過問。

關於畫布與銀幕的相類性，她最傑出的演出，是在無時空的舞台上。她善於創造性別錯覺，關於這點，在昨天下午就已被證實過了。星期天她獨自在話劇社辦公室裡看王爾德的書，平靜而優雅，直到小夏的女友進來，她質問著小夏的女友為何背叛「同性戀」的貴族身分，去愛上一個俗傭卻不能滿足她的小夏。她痛恨也看不起男人的粗糙，更無法忍受與自己相戀三年的女友另結新歡，而且居然還是個男人。她丟開王爾德，拿出抽屜裡的美工刀（以前她都是用來做保麗龍道具）往自己的額頭及手腕砍劃過去，鮮血流過她的臉浸濕全身的白衣，一滴淚也沒流。小夏的女友邊叫邊追她到山下，其他人冷漠地看著，就像在看一齣戲。

一九九二年初，她導一齣「關於暴戾的冥想」。找一群異性戀的人獨白關於「慾求不滿」的內心戲，由於太寫實，她（他）們一一變成了同性戀。社團裡仍是男男女女，是成衣式的，是重新組合。

這齣戲最後一幕是一個裸女（女衣架模特兒）躺在舞台中央張向觀眾，中間放一盆清水。其餘的演員（男男女女）走向觀眾，給他們一人一把超級小刀，條件是把他們綁在座位上，他們居然全答應了。據說地球六分之一的人是前衛劇的戲迷。導這齣戲的她註定要偉大起來（她原本想親自演出最後那幕裸女的部分）。

她暑假讀完女書，在女娘的店裡改寫成一種真正的國際性電影語言，好把電影和文字、戲劇完全分離開來。為了純粹，她與新女友合資電影片廠，導著一齣齣沒有生命者的國度電影。電影片廠座落在生活風暴圈中的一個孤島上，女人與女人相交，攝影師與燈光師混種，嘴和腳，眼和舌頭。

有女詩人在電影片廠裡。

男人在風暴海洋上放行一個易碎的玩具船。

這個世界不再有小孩。

找到妳的新安全感

跟KITTY貓共用一隻行動電話。
與DONALD鴨合穿一件毛衣共同取暖。
和米老鼠睡在同一張床上，不會失眠，
在家裡養一隻GOOFY狗，鄰居不會抗議。
對女孩子溫柔的史奴比，是妳的戀愛顧問，
沒有心機的小熊維尼，不會把祕密告訴別人。
當過救生員和總統候選人的芭比，比心理醫生還瞭解妳。
穿上彼德兔的襪子，可以帶妳找到好心情。
寂寞的城市，不孤單的生活，找一個卡通人物做你的代言人，比用十二生肖還有趣。
在CARTOON PARTY無國界的卡通世界中，每個人都找到了新的生活方式。

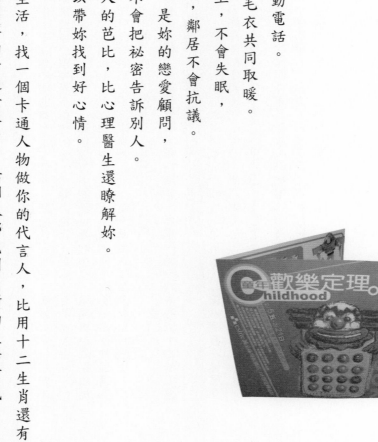

童話建國・歡迎光臨娃娃屋
童話建國北路
獅子王行政中心
小紅帽專賣店
幻想捷運站
宮崎駿的天空之城
紅豬機場
歡樂復興北路
金銀島國庫所在地
KITTY美儀中心
青蛙王子變身中心
加菲貓眼袋處理中心
哈拉瑪莉復健中心
木偶奇遇市場
安徒生大道
米奇米妮共同投資的國賓飯店
小甜甜健保局
阿拉丁百貨公司
快遞魔女宅急便
比德兔的田園餐廳
史奴比傢俱店
糖豆先生的糖果屋
【童年歡樂定理】
童年的歡樂資產計算方式如下：
(爸媽與孩子幸福的平方和)²
＋玩偶的想像力×放假的天數÷課業的壓力
＝童年 ← 歡樂無限循環數
格林童話大道
灌籃高手運動場
海王子水族世界
頑皮豹歡樂城
ET電信局
蝙蝠俠夜PUB
一〇一夜市
小熊維尼假日花市
美人魚游泳訓練中心
芭比學院
芭比女生宿舍
童話建國南路
睡美人寢具店
愛麗絲仙境戲院
一〇一忠狗公園
歡樂復興南路
忍者龜EQ訓練學校
一休和尚寺廟

廣告是所有人一生的必修課程

學行銷

用科學的方法，在最快的時間內，找到自己無可取代的人生位置。

學攝影

在電影院中學風格，用鏡頭練眼光，
除了看面相之外，讓自己比以前更會看人。

學市場

喜歡服裝，又愛電影，迷戀喬丹，又對跑車瘋狂。
來不及等輪迴，又沒本錢當演員，
想試遍三百六十五行，廣告讓你熟練每種市場的吸心大法。

學公關

左右逢源才能面面俱到。
學幾招到哪都能打通關的技巧，把自己變得更友善是道德的。

學創意

為了激盪出與情人的新相處方式，
我們必須不停地動腦。

學美學

多一點美學常識，增加自己的可看性，比美容更有效。

學傳播

為了不讓貓在鋼琴上昏倒，
你需要鑽研更高明的溝通技術。

學電腦

學會在電腦上謀生的九十九種新方法，
現在申請電腦創世紀的原住民還來得及。

學趨勢

向塔羅牌問明天的趨勢，從水晶球看未來已經落伍。
用流行生死學預測蛋塔的壽命，
除了詹宏志，我們有能力預言自己的未來。

如果你什麼都想學，以上課程，廣告系都有。

怡和啤酒
EWO BEER
18
爽口糖
CHICLE
此品有益於衛生
味分三種
ADAMS
Chiclets
誠哉可愛之品
50
61
15
塔牌化粧品
柏內洋行
中西大藥房
16
98
雙美人牌香粉
92
仙女牌香烟
品質優美
人人歡迎
90
Haig
84
超等老牌名烟售價特別公道
29
請用卜內門肥田粉
14
"NUGGET" BOOT POLISH
12
THE GRAPHIC WORLD
大陸畫報
32
大美煙公司
73
上海
57
春色佳人
她何以如此歡樂
26
100
大美煙公司
83

我們不想只培養會做廣告的廣告人，
而是激盪出自得其樂的創意生活家。

用漂亮的手法，解決人生的問題，建立個人品牌，
廣告系可以給你有趣的靈感。

無論你是誰，我們希望能在新學期開始之前，看到你的加入。

附件：廣告價值論

勞工以天計工資。
律師算談話鐘點。
網路以分計費。
廣告以秒論酬。

以上述腦力換算金錢價值來看，廣告是所有行業中最值錢的。

關於廣告系與廣告之間

她是廣告系的學生。入學第一天新生訓練的下午二點三十分，和五十四位新同學，看一卷廣告藝術錄影帶。錄影帶中的藝術共分成七個項目，各由七個產品分擔各個項目：

（一）汽車——迴旋山路十五分鐘。山崩。人體。夜。燈。風景。純私人操控快感，有人想竊取它的孤傲。一種動的幾何令人驚奇。

（二）球鞋——三個女囚犯罰跳操場九圈半。全市民三月活動統計表。一個五歲小孩跳三十分鐘的繩，旁白是：我要活在這個國家。巴塞隆納的人體極限藝術展覽會場。

（三）別墅——千坪的地層肌理。孤獨地塊。隔間的切割近影。洞與洞之人間界線。一幅裸女印畫。人性裝箱。倒滿顏料的地板。

（四）香菸——肢解的人體。同性愛。暴力美學。人走失在空氣中。如雨的汗。蘇朝棟投河自溺圖。藍絲絨。鐵鍊。鏡頭與肉體貼近到可以攝入體香的程度。

（五）旅館——理想的床。飲食男女。落地鏡。照片曝光度。電梯樓數。側門密道。三溫暖。錢吊著一盒盒的時間空間。

（六）口香糖——最強音。狂野舞動的諷刺劇。阻街女郎。所有的人突然在一瞬間改變方向在中心點會合。死之舞。很多孩子。

（七）電視——肉眼機器。精密解剖素描。超現實水果。野獸派。從地球到一粒沙。靈與肉。陰陽質感。聖殿與不淨物。

下午三點四十五分。五十五位廣告藝術新生上第一堂廣告學。第一個練習題是，如果廣告播出在台視八檔連續劇的第一檔，其獎學金的成本是台幣一萬元整，加上台幣一千元的形象費，總共成本約台幣一萬一千元。看過這廣告的人可能高達數十人，加上二十比一的比例計算，則銷貨的損益平衡點是台幣二十二萬元。這筆錢足夠買兩坪地，或是上打的XO。以上均與藝術無關。

老鼠妊娠期二十二天。兔子三十天。鼬鼠六十二天。土狼一一〇天。山羊一五一天。狒狒一八三天。象三六五天。廣告公司據說完成一個構想是一一七天，比山羊還快，卻比土狼慢。有三個女生決定明天辦退學出來開一家廣告動物園。

剩下的五十二位同學丟十元銅板分組。她和七個男生分在「彩色古裝片」組，光的新文化穿過歷史並接受媒介的敏感度，造成三度空間彩色影片技術完美。關於「光的變態及光所寫成的物體」則是該組初步決定的「畢業展覽主題」。

她走入超現實。

她生在布爾喬亞國家。

音樂車速發表

以慢板步調緩蹬在德弗札克寧靜的森林裡，
以快板身影奔馳在幾近完美的音樂極速中。
輕細的樂章涉過沒有噪音煩心的溪水，
強烈的節奏暢行不擁塞的無盡曠野。

這是一條用音符裝滿無限風景的大道，
一條被歡愉的情緒感染溫暖的路。

在一人獨居的夜晚，
請以七十分貝的精神，整夜不睡，
感受全場域的精湛腹語術，
或是送給善戰的情人，
要求一夜和平。

0
20
40
60
80
100
120
140
160
180
200
220
km/h

主題：車
時間：夸父追日的同時
天氣：暴力的高溫

暴力，而且美。是車。很多車。很多男人。女人在馬路上。閃躲。無助地痛哭。聲音很大。暴力。無限暴力。

速度很快，追得上一個善變的女人。遇到跪在地上的歇斯底里，它裝作沒看見，就當這裡永遠是個天堂。

車一直在追。追一個美麗的影子，不美麗的死亡。我在看，看結局。看車累下來，我終於勝利。

車是人體。會亢奮。會死。人從欄杆上跳下，是鳥，紅色。這年頭沒人走上街頭，交通順暢。警察開始寫詩。

車太雄性。車開始愛上女人。女人可以有自己的街，沒有黑巷的那種。男人快絕種，全堆在廢車場，回收容易，消滅困難。

再過一天就不是二十八歲。倒數的日子，接近老年。哀樂老年，一個老人在談男女的事。在公園，像是在賓館。

我住台北。不是台北人。看不到水，聽說所有的魚都是美人。難為了台北的醜聞。

這個城太飽。早該絕食。阿琳今天請假，理由是子宮痛。子宮不再為了生小孩，成了多餘，即將退化。蟑螂愈來愈多，愈來愈雄性。沒有子宮，牠們全變成車。車很多。還是很多。全部都沒有品牌。大概是NEW SENTRA。台北唯一的嬰兒睡在車聲中，他可以不夭折，可以等虐待。給大人一個罪名。入牢。可以不用擔心住的問題。被罰，才可以找到自己。

全部的人擠在演講廳。全部的車在路旁及路旁。花錢聽台北的未來。全部的車被拖吊。一輛一輛。空空的無聊。總是要找很多個無聊堆在一起才不無聊。

車。很多。很雄性。全是蟑螂而已。

獨家調理・台灣養生配方

份量：每週乙次

適用對象

- 因泛政治化所引起的政治偏食症，導致在文化、教育、藝術等各方面之營養不良。
- 資訊過量所引起的消化不良。
- 長期閱讀單一觀點新聞所導致的立場狹心症。
- 年年選舉體質大傷，每遇風寒就酸痛的產後失調症。

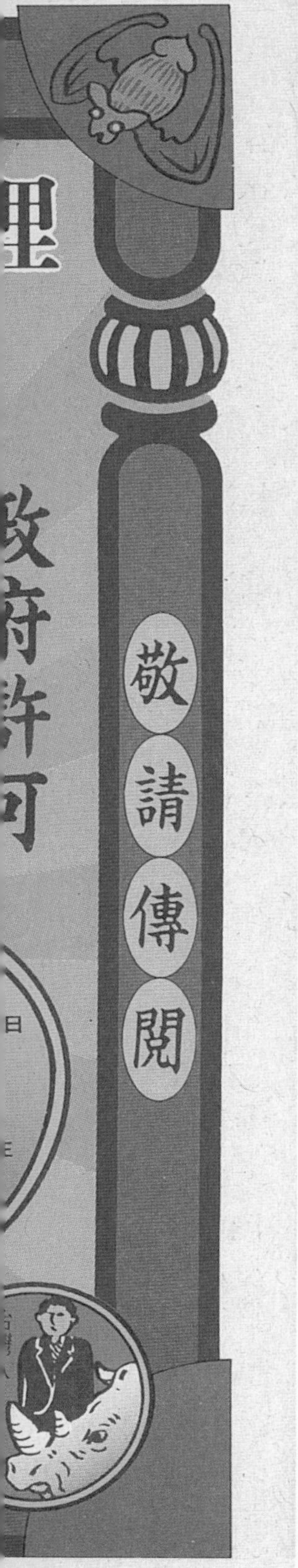

商標 黑白新聞周刊 註冊

黑白新聞周刊獨家設

台灣養生配方

安全可靠

歡迎張貼

份量

每週乙次

適用對象

⊙因泛政治化所引起的政治偏食症導致在文化、教育、藝術等各方面之營養不良。⊙資訊過量所引起的消化不良 ⊙長期閱讀單一觀點新聞所導致的立場狹心症。⊙年年選舉體

大傷，每遇風寒就酸痛的產後失調症。

成份

①調配均衡、多元而全面的《資訊綜合汁》，可將泛政治化的酸性體質調和回來。②專家精選深度新聞精華，其中含有易被人體吸收的高分子《資訊葡萄糖》可快速轉換成知識上的能量。③加入《人文性本土關懷配方》，可有效改善文化貧血症。④針對台灣人體質調理的《明

腦液》，可迅速溶解資訊結石，強化判斷是非的中樞神經，增加對錯

抵抗力。⑤特配有選舉前專用的《十全涼補湯》，定神補氣，強目生津，並

後因遇人不淑所導致的失血心悸、百病叢生。

免費贈閱

《黑白新聞周刊》特別情商好事傳千里，呷好鬥相報——免費贈閱過期雜

張揚之前，請先爲自己保留一本先睹爲快!!

附：食物禁忌一覽表

成分

壹 調配均衡、多元而全面的《資訊綜合汁》，可將泛政治化的酸性體質調和回來。

貳 專家精選深度新聞精華，其中含有易被人體吸收的高分子，《資訊葡萄糖》可快速轉換成知識上的能量。

參 加入《人文性本土關懷配方》，可有效改善文化貧血症。

肆 針對台灣人體質調理的《明目醒腦液》，可迅速溶解資訊結石，強化判斷是非的中樞神經，增加對錯誤資訊的抵抗力。

伍 特配有選舉前後專用的《十全涼補湯》，定神補氣，強目生津，並有效防止日後因遇人不淑所導致的失血心悸、百病叢生。

附：食物禁忌一覽表。

痢 污水。腸病毒。

盲 不見為淨。斜眼媒體。

腐 金牛。官員。

虛 吸血蝙蝠。民脂民膏。

死 地震。土石流。

附件一：西元一九九八層峰課程

科目名稱	任課教師	學分
白宮春光流體力學	柳思基	3
DNA比對入門	沈時華、JoJo	3
總統民意學	宋楚瑜、連戰、陳水扁	3
性愛與政治交易學	黃義交	2
諸法皆空佛學導論	李登輝、宋楚瑜	2
鐘擺理論與實務	趙少康	3
中年失業危機心理學	吳敦義	3
好人、壞人、不是人之人類學專題	白冰冰	2
新聞自由與撕報處理	羅文嘉	3
緋聞轉移暨巡弋放射學	柯林頓、海珊	3
網路復仇專題指導	周玉蔻	3
金庸角色模擬演練	宋楚瑜、令狐沖	3
八卦傳播與法律概論	王文洋	3
泡沫政黨質性研究	趙少康	3
中南美散財外交史	連戰	3
早產人口統計學	JoJo	2
分身本尊應用攝影製作	宋七力	3
體育（男女合班）慢跑入門	馬英九	3
基督教聖人選讀	王建瑄	3
跳票策略與洗錢應用研討	侯西峰、曾正仁	3
土石流善後與汐止生死學	蘇貞昌	3
體育（男）選舉翻身體操進階	伍澤元	3

服藥前配合事項

壹 將家中的競選文宣、旗幟、過期的報紙，全數放入資源回收桶中。

貳 將熱衷政治話題的親友輸入拒接電話顯示。

參 禁看禁聽政治新聞一星期。

肆 安排去做臉、做SPA按摩，洗身淨心革面，換一張面目不可憎的臉，及一個鬆弛的筋骨回來。

內服藥

藍包——用法與療效

配方：

一 到健身房打拳擊包（上面有一道長十一公分、寬兩公分、深兩公分的縫合裂縫），或是打彈發洩情緒，允許痛哭或亂吼。

二 看電影（受難記：最後的激情），放聲大哭。

三 買一台「回到過去」的時光機器，回到三一九槍擊現場前五分鐘把歹徒抓起來，或回到三二〇早上重新選舉。

四 靜坐、瑜珈、氣功、催眠、心靈諮商、心理復健。

五 奧修或克里希納穆提的書（服藥地點：床上、山林、海灘、溪畔、河邊）。

六 車上、家中、辦公室全天候播放山林水聲的心靈輕音樂，如果可以放心經或是聖歌最好。

療效：發洩、降壓、遺忘、助眠、抗沮喪。
用法：一日四回，三餐飯後三十分鐘內，與睡前服用。
注意事項：服藥前請先唱國歌，揮舞國旗，效果更佳。

綠包——用法與療效

配方：

一　到PUB舞池裡狂舞到疲累。
二　到KTV連續歡唱《輸不起》十二小時。

療效：消耗「爽但不能狂歡」的吃驚情緒、鎮定、助眠。
用法：亢奮超過38.5℃時服用。

外用藥

與藍包搭配——用法與療效
忘憂藥水（擦胸口）一日三回，每次100C.C.
與希望丸一起服用
耳用滴劑（過濾引起情緒刺激的政治耳語消息）
鼻用滴劑（過濾集體怨氣之煙硝火藥味）

與綠包搭配——用法與療效
肌肉鬆弛劑
栓劑（潤滑撕裂傷口之用，請冷藏，按醫師指示使用）

政治圖騰與禁忌

你選擇操控還是被操控？

避開人群，帶著非食物的果汁兀自地潛入熟悉的小徑，按門鈴不在，清晨五點，我守坐在階梯上等他回來盥洗。五步之外有人家在辦出殯，佔據學校一角在絕食的他，離死亡一點也不遠。

如果你不去碰觸政治，生活其實可以一直逸懶下去。八點，他仍未回來。我放棄與他獨處的念頭，我走回人群的中央去找他。他意志堅定得令人駭怕，連水也喝得少，別說是果汁。他說只有極少數的人喜歡真相，願意用所有的危險去嘗試——而絕食正是一種真相的可怕發明。感覺這種真相，並大膽地把它表現出來，無辜的是他的家人和情人。

絕食區中只有他一人在絕食，其他人圍著他，警車在附近巡繞。學運把絕食者當英雄處理，而建構出沒有腳本但充滿快感的電影，刺激無限，使觀眾失去方向感，那便是相對性。在這個充滿賭注的時代，所有遲緩的臉全退成了平凡。我提回一大袋的果汁及礦泉水，坐在人群中，看他。

學運分子用盡一切狂熱，發揮歇斯底里的極限，不需要配角、主題或目的——只要你對政治有幻想，你將會實現它的極限。我不是。

莎士比亞、莫里哀這樣的人，超越他們的時代並獲得恆久的意義；學運本身很難說有沒有恆久的意義，我倒是因為他，而碰及到從未體觸過的感覺力領域，關於政治禁忌的部分。

下午，我獨自逛著人群的西門町，一對對情侶天下太平，我和他是悲劇，老湊不在一塊。我在電影院站著唱國歌，他在絕食區裡主張革命。我和一般人的存在運作，是建立在「生活最低條件」，想望「平和狀態」，他存在目的是在引起一般人的討論。

我和他不是革命情侶那一種。

和他在一塊，我們聽克里斯·迪博夫、跳爵士、唱港都夜雨、補破網，搞不清自己的年輕，總要把自己弄得老成憂鬱。

我們很快樂地談著自己的挫折及理想，直到他真的去絕食為止。

突然想起家中已去世五年的十八歲狗狗。

我仍在街頭流浪。

新年必備五大吉祥物

發粿

甜粿過年，發粿發錢，高陞加薪，包仔包金，多食發粿，俾你大發財。

注意事項：年節前夕，景氣警報，今夜嚴防，跳票來襲。切忌「有關單位」暴食發粿圖利，以防油價、水費、電費、瓦斯費……集體漲價、民體大傷。

甘蔗

取「節節高升、堅固家運吉利」之意。

注意事項：蔗農透露，如在輻射屋、破國宅門口，特別配備兩支加長型甘蔗，可有趨吉避凶、保佑「民生福利法」早日通過之功效！

長年菜

延年益壽，靈娥不老，百毒不侵，瓜瓞綿綿。

注意事項：台灣地區天黑黑，做案一堆，民不聊生，百毒威脅，特別適用。上校級軍官如遇採購不平安者，大量食用長年菜可保命保家。

飯春花

「春」諧音「剩」，取「歲有餘糧，年年食不盡」之意。

注意事項：年年豐收，稻米過剩，如此進入GATT前，可呼籲少進口點稻米，多輸入台灣最缺的無毒水和衛生空氣。

七菜羹

初七，又名人日，為除祛一年邪氣必食七菜羹。

注意事項：高鐵局過年期間必食大碗，以擋顛陂之氣，撥雲見日，並可平安通車。

學運後的太平盛世

曾經香火不斷，老人也感動地排成一排的台大學運靈堂，如今成了海市蜃樓。

A大的學運領袖，在和平東路上的一家Pub當午夜牛郎，他曾經絕食七天的革命情侶阿芳，現在在化妝品專櫃裡打工。

學運公關組長小晴幫自己裝上貞操帶，從此她不必再為「女記者性騷擾案」的輿論壓力感到喘不過氣來。

B大的學運領袖以第一志願考上三民主義研究所。

宏德說，五四時代的年輕人之所以孝順，是因為那個時代太孤獨了。

C大企管系某女子墮胎後，在嬰靈牌位上寫著：「二十年後的學運領袖，英年早逝」。

連拿四年書卷獎的珍，連薪水也不輸同學，一個月三十幾萬的坐檯，書成了演戲加薪的道具。

D大曾參與過靜坐抗議的大學生們，流亡到市街小集擺地攤躲警察。

小凱說：「不要一直想著你恨的人，否則你會愛上他。」——他在影射一名最近升官至院長級的人物。

E大學運文宣組長，把印「學運絕食的十大訴求」的文宣紙反面，印上地下情色雜誌的文字，並請外文系同學加以翻譯，裝訂成冊（無視於三〇一的壓力），一本五十元出售。P.S.：此舉嚴重影響到空中英語雜誌的銷售量。

離家多年的阿雄創業失敗，三月二十五日正式返家繼承遺產。

F大外交系十五名身高達一七〇以上的女生，集體報名空姐考試，這樣才有機會劫包下整架飛機開往美國投奔自由。

學運領袖出現在加州柏克萊大學的舞會上摟著女人，酗酒狂歡。

G大學辦第六屆三宅一生的服裝秀，盛況空前，人潮洶湧，萬人空巷。

台北的大街小巷包括空氣都被收買了，人們呼吸下層的餘氧，而且快樂地活著。

H大書城的情色文學書籍開始嚴重缺貨，夏季折扣海報上印著：「即日起，凡購買一本西洋哲學史，便贈送金賽性學報告書全三冊，早買早送，送完為止。」

大學才女美華在建築公司做房地產撰文，第一年買BENZ，第二年偕男友搬到大台北華城。

I大學生活動中心五月二十一日起，開始放映成人電影，五月二十二日中午全面舉辦I大正副校長選舉。

以哲學系為第一志願的阿豪娶了一個他不愛的富家女。

J大研究生阿三哥在博士論文後寫上感言：「感謝指導老師們輪×了我的論文，讓它足以成為台灣九二年十大性感話題之一。」

阿龍寫信到聯合報指出，六月八日第三版中提到的所有「劫運」二字全部誤植為「捷運」，懇請次日報紙更正之。

K大教育系系主任建議，國立編譯館將「學運」二字列入國小歷史教材裡，放在黃花崗七十二烈士那一章的後面。

現在居然連一個賣肉的也不再跟你說謝謝。

除非學運重新復活，

否則這個時代不再有年輕人。

衣戀政治
最新服裝政治學

向上掃白。向下掃黃。全面掃黑。今年流行綠色。
站對陣線。身分刺青。信仰民意。今年認同名牌。
解放父權。雌雄合體。中性路線。今年風行絲質軍裝。
虛擬界線。利益混紡。搭配兩岸三地彈性運用。
皺摺軋紋再度走紅。

時裝政治化，政治時裝化。
在政治的流行週期愈來愈短、政黨染上時尚焦慮的今天，
我們歡迎有政治魅力及流行身段的人走上伸展台。
秋冬時尚政治FASHION SHOW，
全面預告下一季的流行態度，
展現最新的政治款式。

衣戀政治的你，
請準時削尖流行觸覺，
以美學目擊政治與服裝同台的致命吸引力！

服裝研究院版圖規劃

創意最盛期，最精彩的服裝活體空間。

衣服自立門戶，在布料中注入了人的品質。

靈感的潛意識層全面開挖，精彩的衣飾對話錄即將出土。

空中布料植物園

3F研究層

・萬物尺度研究所
・服裝潛意識研究所
・服裝戲劇所
・健康布料研究所
・性慾暨勾引內衣研究所
・情緒色彩研究所
・服裝權力政治所：衣服是慾望的形狀，政治的成分，大過生理需求。
・視覺調度所：一大面穿衣鏡，讓你看到對面的自己，和萬事萬物。
・第二肌膚醫學研究所
・質材實驗室：發現手腳的可能，探尋潛力的極限，嗅聞每一種材料的體味及功能。
・服裝詩社：用詩來做為服裝創作的多腦盒，用詩激發身體與布的共同能量。
・服裝符號學系
・時尚華爾街
・身體建築學系
・裸體解放室

2F展演層

・藝術共生實驗室：

服裝、廣告、建築、工業、音樂、文學、哲學、社會、觀念、裝置、身體、環境……所有與人有關的當代設計現象，在這裡共結一個「場」，瞬間融合。

服裝研究所將分階段召集各領域的菁英策劃主題，各流派充分對話，讓學生有機會新陳代謝想法，活化藝術細胞。

・環境裝置展演室：

創作的心靈永遠在找尋更大的空間。這裡是觀念實驗工場，服裝氣候所。所有的聲音、味道、感受、意識、潛意識、衝動、壓抑、性、不滿、喜悅、希望、期待……都是我們珍貴的媒材。

當你一進入這個空間，你的體溫、樣貌、言語、表情、動作、思維將完全影響這裡的氛圍，當你離開，你會留下屬於你的痕跡，也會帶走新感覺及靈感，你已成為空間作品的一部分，服裝成為你的一部分。

1F撞擊層

・集體意識，觀念撞擊室
・藝術暖身區：重質不重量的相處，在這裡可以找到和你對話的人。
這裡是來過的人，戒不掉的精神磁場區。
・角色扮演伸展台
・新裝悅賓廣場

B1能源層

・廚房工地・食慾料理室
・時尚受害者集中營
・時尚奴隸培養所
・身體部落・精神休憩室
・時裝工廠

服裝之外，另一種不妥協的品味
書妝打扮——秋冬服裝書展 1995. 12. 9～1996. 1. 14
地點：誠品書店敦南店・世貿店・忠誠店・桃園統領店・高雄漢神店

西元一九九九・文學復活紀

老人在捷運上寫鄉愁。上班族用薪資單寫冷暖。
總機在辦公室寫戀情。會計用財務報表寫興衰。
醫生在光片上寫生死。電腦工程師用網路寫夢境。
攤販在夜市寫生活。美食家用食譜寫逸樂。
工人在鷹架上寫城市。郵差用地址寫流浪。

沒有書桌前的文學，祇有柴米油鹽的文學，
世紀末一九九九，文學全面復活，
我們需要更多生活的新鮮切片，人的實況：
需要一首在紅燈前塞車的詩，
需要一段在煮菜時煮出來的散文，
需要一篇在股票收盤後，長黑失眠的短篇小說……。
需要全民寫作，所以我們舉辦台北文學獎。

文學 Literature
開始徵件
老人在捷運上寫鄉愁。上班族用薪資單寫冷暖。
總機在辦公室寫戀情。會計用財務報表寫興衰。
醫生在X光片上寫生死。電腦工程師用網路寫夢境。
攤販在夜市寫生活。美食家用食譜寫逸樂。
工人在鷹架上寫城市。郵差用地址寫流浪。
沒有書桌前的文學，只有柴米油鹽的文學，
世紀末1999，文學全面復活，
我們需要更多生活的新鮮切片，人的實況，
需要一首在紅燈前塞車的詩，
需要一段在煮菜時煮出來的散文，
需要一篇在股票收盤後長黑失眠的短篇小說……
需要全民寫作，所以我們舉辦台北文學獎。

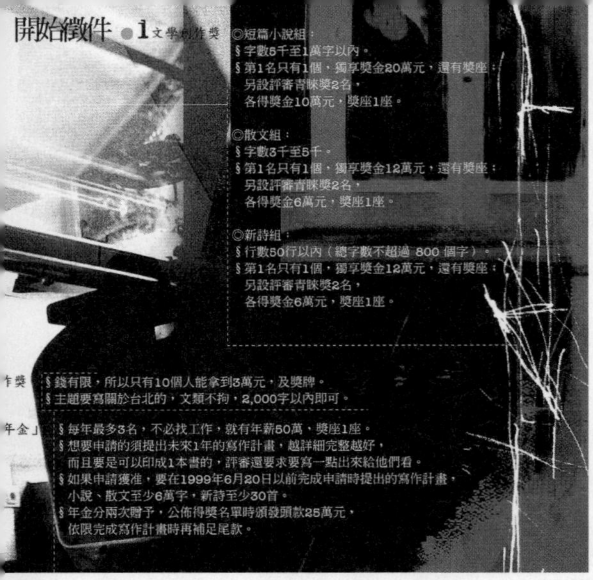
開始徵件 1 文學創作獎
◎短篇小說組：
§字數5千至1萬字以內。
§第1名只有1個，獨享獎金20萬元，還有獎座；
另設評審青睞獎2名，
各得獎金10萬元，獎座1座。
◎散文組：
§字數3千至5千。
§第1名只有1個，獨享獎金12萬元，還有獎座；
另設評審青睞獎2名，
各得獎金6萬元，獎座1座。
◎新詩組：
§行數50行以內（總字數不超過 800 個字）。
§第1名只有1個，獨享獎金12萬元，還有獎座；
另設評審青睞獎2名，
各得獎金6萬元，獎座1座。
§錢有限，所以只有10個人能拿到3萬元，及獎牌。
§主題要寫關於台北的，文類不拘，2,000字以內即可。
§每年最多3名，不必找工作，就有年薪50萬，獎座1座。
§想要申請的須提出未來1年的寫作計畫，越詳細完整越好，
而且要是可以印成1本書的，評審還要求要寫一點出來給他們看。
§如果申請獲准，要在1999年6月20日以前完成申請時提出的寫作計畫，
小說、散文至少6萬字，新詩至少30首。
§年金分兩次贈予，公佈得獎名單時頒發頭款25萬元，
依限完成寫作計畫時再補足尾款。

文學復活前的八大前兆

傅柯在病床上完成《性史》。
海明威在哈瓦那的海邊撿到《老人與海》。
惹內在監獄中完成《竊賊日記》。
勞倫斯把礦區的童年改寫成《兒子與情人》。
歌德用苦悶寫成了《少年維特的煩惱》。
賈西亞・馬奎斯從巫師祖母的眼中，
看到了魔幻影像的《百年孤寂》。
普利摩・李維在實驗室中，找到了文學的《週期表》。
米蘭全城的人，都在寫詩。

西元1999・文學復活紀

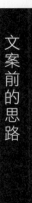

20世紀前，最後一次在台北出名的機會
………第二屆「台北文學獎」，現在開始收件。
【先將你的文章分類，依字數，依個性，不是依血型星座】
第二屆「台北文學獎」◎ 簡章
【很想看到你文章的有關單位】 ◎台北市政府．台北市文化基金會
◎台北愛樂電台．誠品書店
文學 Literature
開始徵件

閱讀台北，你需要更有想像力

台北很字戀。99本必讀書單，今天上架。

OUT／台北考古學	IN／台北流行學
在計程車裡強迫聽政見。	在計程車裡聽不同版本的八卦。
用090談生意。	用3G手機聊緋聞。
用長途電話訴苦。	用網路傳笑話。
接第四台看A片增加情趣。	看購物台買減肥霜增加魅力。
說標準國語。	英台日韓語流利，看偶像劇、玩哪國的GAME都很溜。
畢業即失業。	職業倦怠再回學校充電。
爸爸回家吃晚飯。	爸爸回家做晚飯。
存9個月薪水買VERSACE。	地攤一件199塊的VERSACE。
有金卡要亮，錢要露白。	現金卡大刷粉紅色的拜金女夢想。
到7-11買過年禮盒。	不景氣，到迪化街買年貨也算愛用國貨。
畢業旅行：金山半日遊	畢業旅行：東京迪士尼五日遊。

寒流對策：電暖爐。	寒流新對策：麻辣鍋＋ㄘㄨㄚˋ冰舞。
村上春樹。	哈利波特。
花15塊在副刊上K詩。	在公車上免費讀詩。
企業變革。	藍海策略。
早上7：00鬧鐘叫床。	晚上7：00倒資源垃圾要準時。
遲到藉口：塞車。	遲到藉口：找不到停車位。
國家建設：施工中。	國家建設：施工中（換別的地方）。
流行：腸病毒和電子雞。	流行：疫情和口罩，萬人恐慌大傳染。
威而剛。	柔而剛。
塔羅牌、占星的交友須知。	行天宮地下道一卦500塊的心理建設。
麻油雞大補帖。	小麥草汁＋膠原蛋白四物雞精。
一樣米養百樣人。	早上低熱量壽司、中午日本鍋燒、下午蚵仔麵線加蔥油餅、晚上法國料理、宵夜清粥小菜。24小時中外雜燴，胃已經世界大同國際化。
故宮的畢卡索。	伊通街的前衛沙龍。
新公園的夜生活。	三溫暖SPA健身房。

在台北，你需要99本書，及99種想像力

卡爾維諾式・複製城市的第二性徵

為了指認，β城開始有了編號，太陽升起的地方是一號，第一顆樹是一加一號，以此類推。

除了學會加法，他們開始編匯名詞，並發明一點點動詞。一種符號一個意義，絕對不會產生任何誤解。比方一條「皇后婚禮遊行路線」，所有的人都知道是那一條路。β城開始長出新的感官和觸覺系統，他們更能感受沈醉妄幻的最大強度・身體停留在最大快感的位置，天天都是嘉年華。

世界新鮮太久，超過創意保存期限，角色開始複製，語言開始重複，β城從水的倒影中再盜版一個β′城，所有的事物都有了對應點，城市開始出現第二性徵。

總資源量，人口量W＋1時，開始有權力、交易、界線、分級、講價。數學開始高速發展減法、乘法、除法。

語言邏輯開始有過去式、感嘆詞、仇恨用的三字經、命令式，專用術語、私名號、標點符號。城市裡出現低等的妓院、軍隊、監獄、宮廷、軍火庫、電廠、造幣場、宣傳用紙印刷廠、及高速道路。符號開始橫生枝節，一個杯子＝玻璃的變形＝傷的顏色＝城市的缺口＝社交的工具＝欲望的容器。

世界上最有學問的人，就是把這些同義字倒背如流的人。

計算程式發生錯誤，溝通發生障礙，生物開始老化、退化，有人開始沮喪，有人提前自殺，身亡之處，成為β′城宗教祭祀的發源地。

第一位處女在攝氏38°C意外遭到性騷擾，這個城市開始失去貞潔。

以前慶祝嘉年華的神殿，改建成β′城第一座墳場，豪華戲水浴堂，現在是旱災專用的公共蓄水池。教室荒廢已久，被一家妓院廉價收購，宮廷被全城的麻瘋病人佔據，所有的管線開始生鏽，老人開始爭購老街明信片，小孩開始讀歷史，胎兒開始向母親爭取生命，這個城市及子城市已經有了基本資料，等候已久，β′城市開始出現第一位哲學家。

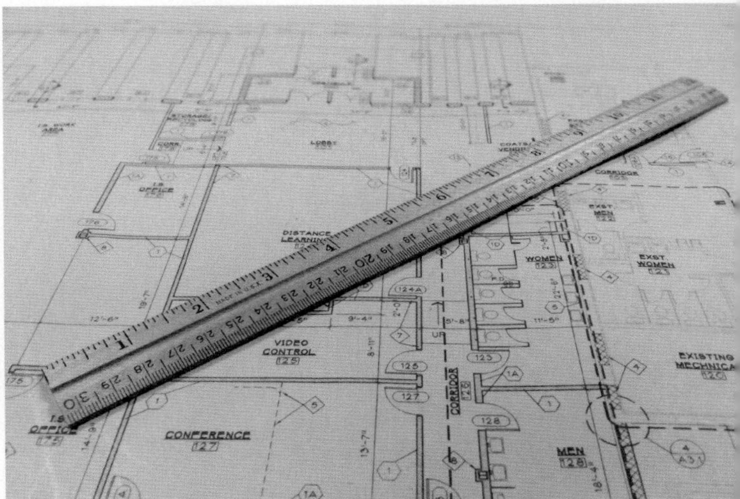

H

事件・儀式・人與人的對待

現實排出想像的細節，文案成群結隊，
劇情抑揚頓挫，靈魂集體嘉年華，
處處有分神的目標，
驚奇有了十二分之一以上的機率。

記不得是哪一次的週末，
看著人們從四面八方走進這街上來，
活像是一個節慶。

拋開書本到街上去

拋開阿莫多瓦的高跟鞋到街上去。
拋開村上春樹的彈珠遊戲到街上去。
拋開徐四金的低音大提琴到街上去。
拋開彼得梅爾的山居歲月到街上去。

街是開放的、沒有邊限的書；
太陽底下永遠都有新鮮事。
請你暫時拋開書本到街上來，
看舞、看人、看街、看音樂。

誠品書店敦南店新開幕，有一連串節慶在這裡發生，
三月二十九、三十日，音樂、文化、安和路全民活動，
日以繼夜，逢場作樂（ㄩㄝˋ），
計時二十四小時，請你及時行樂！

打開一本街上的生活書

《抛開書本到街上去》是日本導演寺山修司一部電影的作品名，
記得劇照是一張寫滿書法字的被單鋪在馬路上，尋歡的人躺在上面盡情享樂……。

街是一本本縱橫交錯的書。樹是城市的行距。偉人的名字是路名路牌。

櫥窗是資本論。公園是胡塞爾的現象學。紅綠燈決定車的機率學。

廣場是無字的城市歷史。行人是被時間更換的男女主角。

玻璃帷幕是一格格權力的競技場。

當市政府、都發局在誠品書店門前，舉辦「音樂、文化、安和路」，
我腦中浮起了《抛開書本到街上去》這部電影。

花了不少時間，解釋「抛開書本到街上去」不會影響誠品愛書人的購書意願，
也真的希望能看到躺了滿街的文字被單、被文字坐滿的路椅……讓文字走出書本，
解放在城市的所有建築，及街道牆壁上。

熱鬧的城市，不甘寂寞的夜，當天週六夜晚的紅磚道上，
還舉行了七〇分貝內的抒情舞會，像是一場馬路羅曼史，提供一個公眾空間，專留你的私人感情。

你，準備好手舞足蹈了嗎？

敦化南路上，春開花開書店開

太陽升上來，暖爐收起來。
短衫穿出來，毛衣收起來。
涼鞋取出來，長靴收起來。
新書拿出來，冬書收起來。

攝氏24℃暖春讀書計畫，
請你現在開始暖身……。

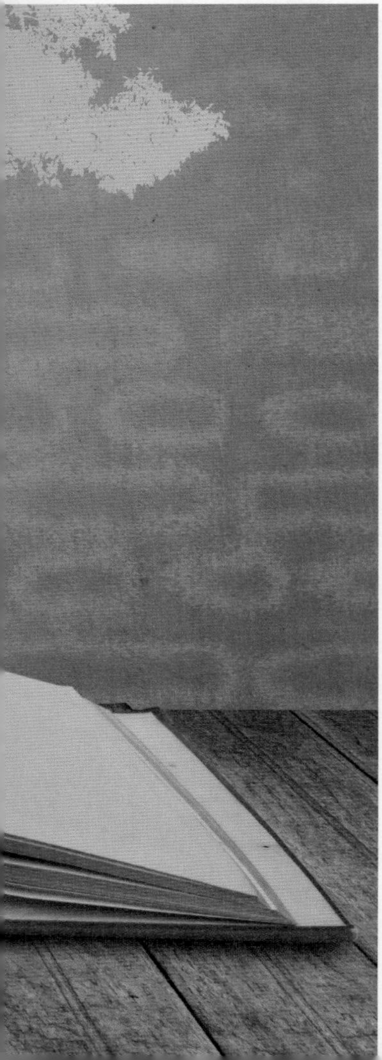

創意盛期・紙上生物館

辣椒風乾在200mm長的道林紙板上。
夢的痕跡塗鴉在十六開的粉彩紙上。
白堊紀的魚拓印在原始的雲石紙上。
紅豆則養在190磅淺綠色的海藻紙上。

開發生活最盛期，
保存各種最官能的創意，
八月十四日起，百種美日法進口的卡片，
在誠品多情演出。

無聲的光合作用

卡片是一座座簡化的生物館，不活了的花、草、昆、物一一得道，昇華成了紙上標本，用另一種速度在開花、行走，和人的感情，進行無聲的光合作用。

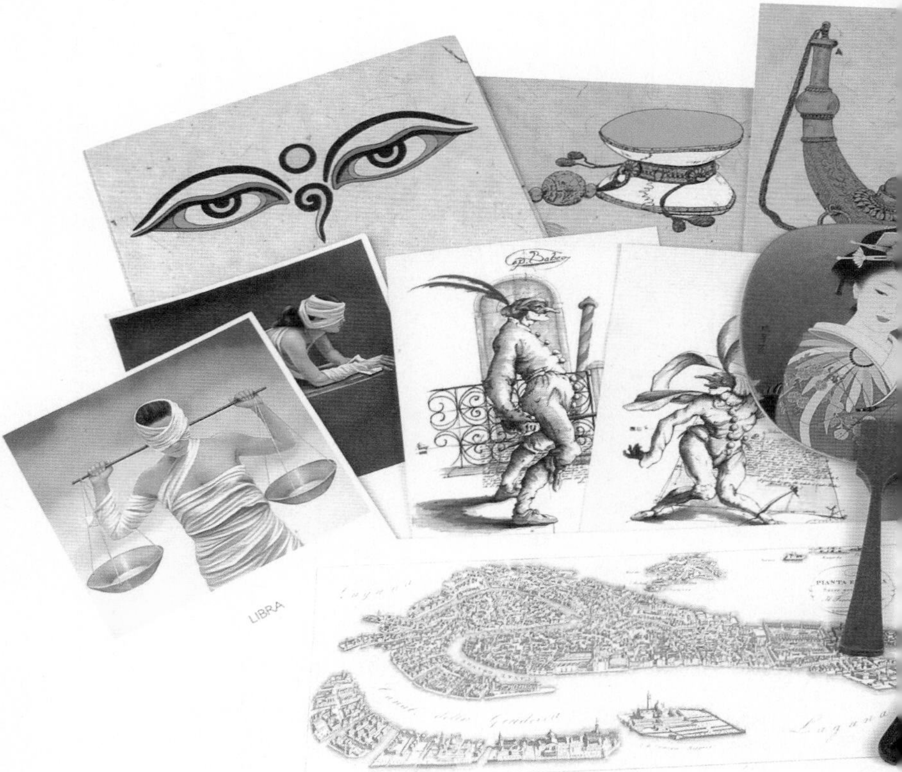

同學不滅定律

失戀了，無所謂，打開紀念冊，有舊情人可以訴苦。
失業了，沒關係，打開紀念冊，有老同學可以倚靠。
拿初戀情人的血型星座，尋找下一任的情人一定失敗。
以前混泡沫紅茶店的苦悶少年，現在移到PUB做中年的酒肉朋友。
十年前三人合辦一家MTV，現在一人一部車一起去看鐵達尼。
上廁所都要一道的死黨，現在一起加入健身俱樂部還有折扣。

有紀念冊為憑，同學是你一輩子無法否認的關係，
你變瘦變胖，好久不見的同學，比朝夕相處的老婆還清楚。

台灣第一張有聲音的歌舞創作集—【同學會】，
附贈一盒召開同學會的新名目，和一小時記憶的公開播放權，
把過去的青春對話還給你。

同學會禮盒物件如下

1 給初戀情人的信

戀戀風塵，是指在風霜歲月中、愈老記得愈清楚的那個初戀情人。

2 畢業後紀念冊

A 老師的話、全班近照、簽名、近況：「不管你是老闆、夥計、徵信社員工、還是送PIZZA的，你們都是我一輩子的同學。」

B 新版的通訊錄：

以前留的是不准太晚打、爸媽會監聽的電話號碼，現在請留下二十四小時可以找到你的行動電話、line及電子郵件信箱；還有，趕快把同學找齊，搬家搬不見的同學，就去問他的鄰居；失去聯絡的，就用剩餘班費刊登尋人啟示，或是請警方代為協尋。

C 私人留言版：

記得某人曾揚言要當立法委員嗎？是誰說她一定不結婚，卻又是第一個丟紅色炸彈的人？

這裡是你吐槽的地方。

3 同學會邀請卡

A 見面理由：

生日、結婚、有人回國、生小孩、掛病號、其他。

B 見面場合：

時間：班會時間（不見不散）

地點：老地方（遲到者，比照老師規定處罰之）

今年輪值之業餘班代：丸尾

餐費：自理（聚餐前，請勿玩六合彩破產自誤）

Smile for Trust

恐懼，使我們害怕失去，是創造力最大的敵人；
信任，讓我們樂於給予，是所有改變的開始。

當我們開始不信任這個環境，
抱怨與防衛，只會讓一切更糟，
因為所有發生在我們身邊的事，
都是集體意識的結果。

所以，讓我們相約一起做一件事：
從下一刻起，大家一起Smile for Trust，
先從信任自己開始，

信任自己所做的每一件事，
讓自己所做的每一件事都值得被信任。
如果每一個人都在同一時刻做到了，
我們的環境就可以瞬間變好：
每一道食物的生產都是令人放心的，
每一項商品都可以安心使用……

Smile for Trust. Trust is Power.
相信自己，讓別人相信，
就是改變環境的第一波關鍵力量！

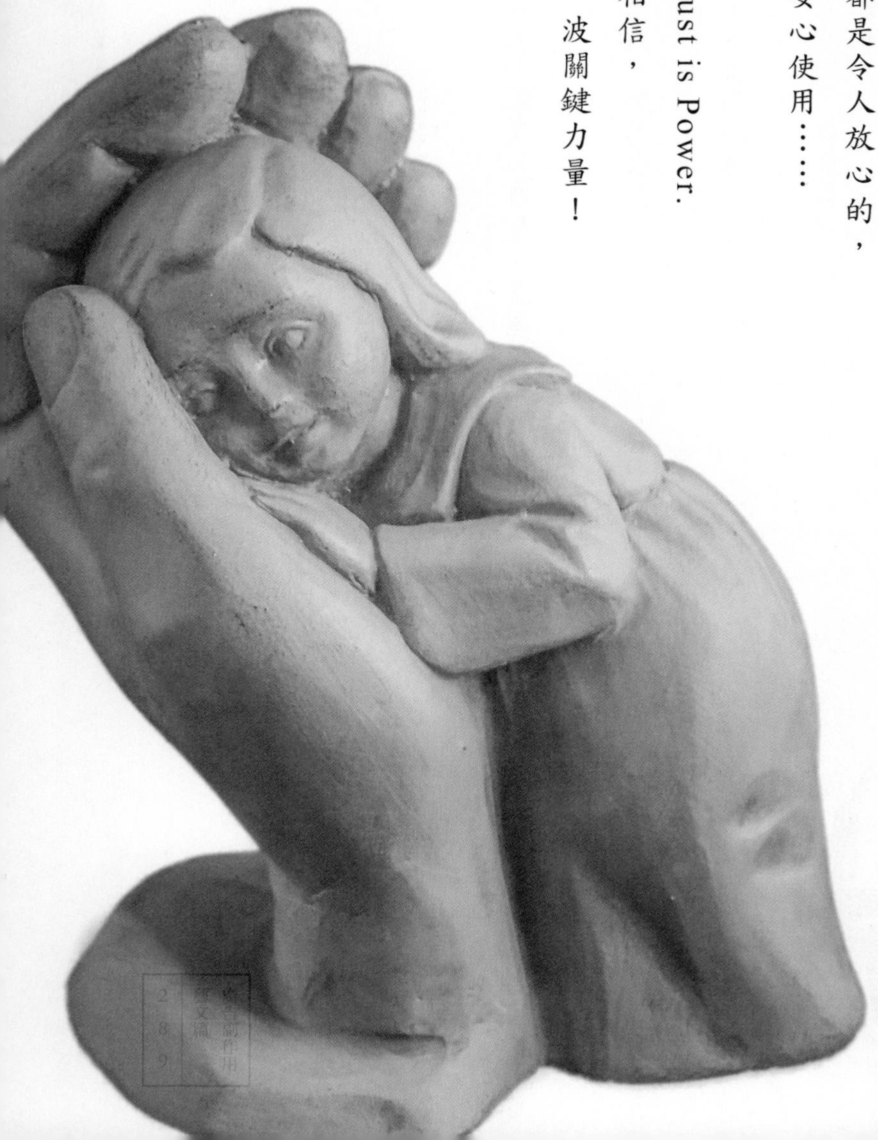

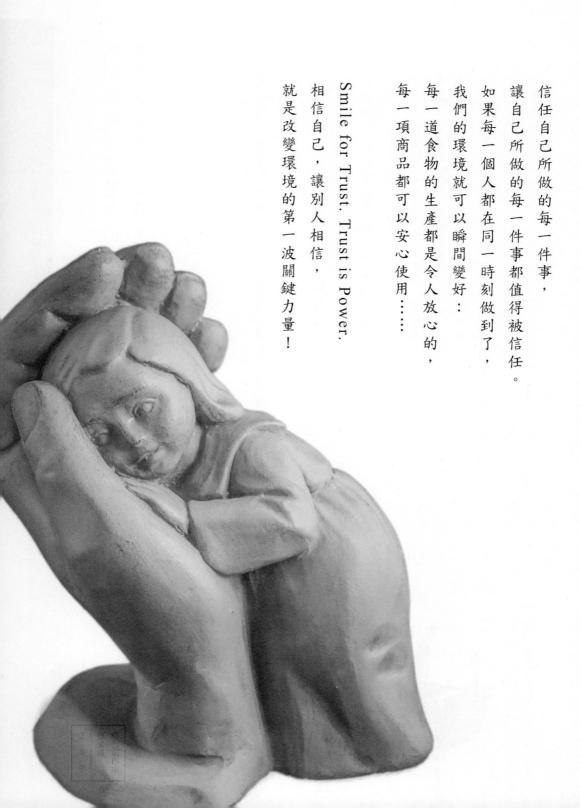

我們把西安最繁榮的地段
留給這個世界上最美好的聲音

如果沒有西貝流士，芬蘭就成了啞吧。
發生故事的地方已成歷史，
至今仍留下來的呼吸、氣味、舞步、顏色、質地、光影……
讓西安有了自己的聲音。

全球知名巴黎歌劇院聲學設計師馬歇爾
以優美的視線和聲場分佈
為西安音樂廳譜出最完美的空間排場：
木色是慢板，銀白是快板
這裡產生最原創的藝術光音，一幕幕都變成了永恆
聲閘、光閘，反聲板的設計
將最飽滿的環場音，收納進你的感動中。
每一度的空間設計，都是我們精心創造的聲音微宇宙
全西安最強的音域、最美的藝術生態，
你都在場！

西安音樂廳提供

約翰尼斯·克萊斯製造七十八個音栓
四二〇一根音管的巨型管風琴
德國原廠施坦威、義大利法西奧利三腳名鋼琴……
吸引國際知名的首席演奏家、歌唱家、音樂與舞劇團體
前來西安音樂廳向我們展演第一現場的感動。

原創是很奢侈的，像是嬰兒的第一口呼吸，
刺激腎上腺素的視覺、有著濃郁氣味的聲音。

我們不必出國，
捷克愛樂、德國柏林交響樂團等世界十大交響樂團
《阿伊達》、百老匯音樂劇《四十二街》、《貓》……
阿什肯納齊、蘇菲·穆特、久石讓、李雲迪、
馬友友、譚盾、呂思清……他們全都來了！

一·八萬平方米的音樂規模，
每一場，都是一群人物的靈魂頂點。
在擁擠的現實與天馬行空的烏托邦之間
以獨特的展演形式
在生命中深深埋下這些令人顫動的時間點
與你的激情一起站立鼓掌。

美不是你锁定的目的地，而是一种能量通道！

我们需要借着音乐、戏剧、舞蹈家，他们敏锐利又诗意的感官，搜出躲在平凡生活背后，那个璀璨独特的光芒
每一处被感动的乐章，都将成为生命经典
你只要专心聆听，就能更新灵魂美学的最高海平面
在生命需要蜕变或升华时
这些美好就会再度滋润你的身心流域

音乐是宇宙法则，也是个人境界
我们以超大规格展示出最美好的生命时刻
每个月收藏一个黄金年代
每天都有全新的艺术选择
独奏、民乐、民谣、轻音乐、流行音乐、实验音乐、交响乐、周末市民音乐会、戏剧、芭蕾舞、现代舞、音乐剧、视听音乐会、艺术讲座与展览、西安国际音乐节
西安音乐厅像是多面体的钻石
全世界的样貌都映在上面

2009年，开始我们的西安音乐文明
350场庆典般的世界级音乐飨宴，全年三分之一公益演出的坚持
这里就是欢迎每个人入席的生活演练场
所有天价无价之美，都将在这里感染你

（文字由台湾著名广告文案 李欣频撰写）

我們需要藉著音樂、戲劇、舞蹈家，
搜出每一處被感動的樂章，都將成為生命經典
你只要專心聆聽，就能更新靈魂美學的最高海平面
在生命需要蛻變或昇華時
這些美好就會再度滋潤你的身心流域。

音樂是宇宙律，也是個人至境。
我們以超大規格展示出最美好的生命時刻
每個月收藏一個黃金篇章
每天都有全新的藝術選擇：
獨奏、民樂、民謠、輕音樂、流行音樂、實驗音樂、交響樂、
週末市民音樂會、戲劇、芭蕾舞、現代舞、音樂劇、視聽音樂會、
藝術講座與展覽、西安國際音樂節……

二〇〇九年，開始我們的西安音樂文明，
三五〇場慶典般的世界級音樂饗宴，
全年三分之一公益演出的堅持
這裡就是歡迎每個人入席的生活演練場
聲音、燈光、與生命節奏，在西安音樂廳中日夜交相激盪，
我們把西安最繁榮的地段，留給這個世界上最美好的聲音，
所有天價無價之美，都將在這裡感染你！

愛的呼喚在每一刻從四面八方向我們湧來，
我們凝視著愛的曠野，
你可願意與我們同行？

現在不是留在家中的時候
應該進入花園，喜悅的曙光已經升起，
這是合一的時刻，看見遠景的時刻！

——Andrew Harvey。引自《懂得愛：在親密關係中成長》

以愛為最高創造頻率的美好場域：The House Of I

任何時候，你所感受的情緒都是一種指標，
它反映出你與內在自己之間振動頻率的關係，
情緒會告訴你，你當下的想法與其發出的頻率，
是否與自己的本源（source self）頻率相符合。
當兩者的頻率相同，或是很接近時，你會感覺很美好，
如果想要在生活中過得愉悅，你就必須找出方法，
讓自己與「生命想要你成為的」版本一致。

——Esther and Jerry Hicks，《情緒的驚人力量》（*The Astonishing Power of Emotions*）

美好的生活不是短暫的出國旅行，
也不是還沒到來的遙遠夢想，
我們每天與最愛的人花時間在哪裡，
那裡才是我們共創出來的真正生活。

愛是與生俱來的天賦本能，
只是我們在競爭場中久了，
戰鬥與防衛讓我們忘了愛。

當我們在外面的世界受了傷，
請回到The House Of I來療癒，
這裡是以愛為最高頻率的場域，
我們會在這裡記起：
我們彼此最初的生命約定，
記起了我們是為了體驗愛而來！

The House Of I保留了五千畝純淨的天地山泉，
周圍大自然的原貌，是啟蒙我們的生命教室，
每一個人在這裡恢復了彼此非常寶貴的信任，
一如天真無瑕的嬰孩信任著母親無條件的愛，
有了信任，才能放心地創造，
我們才能看見每個人的百花齊放！

我們在外面迷失的自己，
在這裡找到了明心如鏡的本貌。
我們忽略的健康，
在這裡有人接手修護照顧，
並向你溫柔示範該怎麼愛自己的身體。
越來越疏離的親子關係，
有人協助你們恢復如子宮般的信任。
我們現實中被扭曲的愛情，
在這裡可以一起被療癒，
並重新愛上彼此，彷彿初戀。

在The House Of I的每一位老師都是我們的生命嚮導，
她們以靈性之眼，
帶我們用最美的心去體驗這個世界的美好版本——
這裡有很多儀式、節慶，
每一個人都在忙著蛻變、
忙著慶祝生命、忙著感謝、忙著創造、忙著遊戲……，

彼此滋養、互相支持、一起探索生命之美。
只要每個人都能善待自己，
就能跟整個世界相處愉快！

這裡是生活的魔術箱，
是我們遺忘已久的童年，
是我們呼吸得到的天堂，
也是我們最好的生命場景，
每個人體驗著生命美好的各種版本，
在這裡，大家都恢復了生命的原廠設定：
愛、無懼、喜悅、創造、自由、幸福！

The House Of I，
一九八三年源自於加拿大的Heaven，
我們把美好的生活，
紮根於北京八達嶺長城腳下古崖居原鄉，
在我們夢寐以求的純淨之地，
開始了我們的新生活！

十月十七～二十五日世界全人大會，我們在北京原鄉等你們回家！

二〇一五年十月十七～二十五日@北京原鄉中國海文學院The House of I
亞洲第一屆國際全人成長中心年會&世界同心全人成長交流會

我們所有的人，彼此之間都有關連，
你沒辦法讓一個生命單獨存在，
就像你沒辦法把一陣微風，
從風裡面分離出來是一樣的道理。

——Mitch Albom《The Five People You Meet in Heaven》

我們已經彼此分離夠久了
宗教歧見、國家邊界、政治對立、個性不合……
讓大家都忘了
我們本來自同一個源頭，站在同一個地球。
米爾達之書《The Book of Mirdad》
將「全人」的概念
完整地向我們每一個人揭示：

難道人會在生命的大樹中，僅選擇一片葉子，
將自己全部的愛只灌注其上？
那麼承載那片葉子的樹枝又該如何？連接樹枝的樹幹又該如何？
保護樹幹的樹皮又該如何？
餵養樹皮、樹幹、樹枝和樹葉的樹根又該如何？
擁抱著樹根的泥土又該如何？
讓泥土肥沃的太陽、大海和空氣又該如何？
如果連樹上的一片葉子都值得你去愛，
那麼，整棵樹不是有更多值得你去愛的嗎？
把整體分化出去的那種愛，本身就註定了不幸的命運。

你就是生命之樹，當心你在分化自己！
不要讓果實互相比較，葉子和葉子、樹枝跟樹枝，
也不要讓樹幹和樹根、整棵樹和大地之母互相對立，
但你們所做的正是那樣，
愛某部分更甚於其他、或把其他排除在外。

你就是生命之樹，你的根佈滿每一處，
處處都有你的枝葉，每張口都有你的果實。
不論樹上哪顆果實、哪根樹枝、哪片葉子、哪條樹根，
它們全都是你的：果實、樹枝、葉子和樹根。
如果想讓這棵樹，長出又香又甜的果實，
你得讓它又壯又綠、留意樹根所餵養的汁液。
除非擁有全部的自己，否則那就是假的自身。

只要你還會為愛感到痛苦，
就表示不但尚未找到真正的自己，
也還沒找到愛的金鑰匙，
你愛的是短暫的自己，
所以你的愛也是朝生暮死。

只要還把某人喚作敵人，你就還沒有朋友。
懷有敵意的心，怎能成為友誼的安全住所？
只要心中還有憎恨，你就不知道愛的喜悅。
若你給一切你的生命汁液，但就是不給某一隻小蟲，
那麼光是那隻小蟲，就能讓你的生命痛苦。

因為愛任何人或任何事物，
事實上，你愛的正是自己；
相同地，你恨任何人或任何事物，
事實上，你恨的正是自己。
因為你所愛的和你所恨的，
其實是密不可分，有如銅板的正反面般。
如果對自己夠真誠的話，
在愛你所愛之前，
你得先愛那些你所恨、及恨你的。（謝明憲譯）

如果我們只把自己當成一片樹葉，
很自然地會與其他樹葉搶奪資源；
但如果把自己視為許多樹葉加一根樹枝，
就不會與其他樹葉競爭，反而彼此支持；

再這樣繼續擴大思考：
如果自己是整棵樹
如果自己是一棵樹＋一片大地
如果自己是一棵樹＋大地＋天空……

你意識到自己越大，
可用的資源就越豐富滿足；
你與他人之間，
就像是左手與右手的關係，
只會無條件地相互合作，不可能起競爭心。

中國海文學院（The House of I），
決定將第三十一屆國際全人成長中心年會，
邀請到北京原鄉的土地上，
以五千畝的規模，
歡迎來自世界各地的全人成長機構、團體、與老師們，
以研討會、交流會的方式，
讓「全人」的概念在中國開始發芽成長——
這是全亞洲的第一站，也是全中國的第一次，
讓我們把邊界從「自己的小我」擴大到「集體的大我」，
把焦點從「自私利己」的目光如豆，移向更高、更廣、更遠的「利他視野」！

正如大衛尼文所說的：
根本沒有國家這個玩意，
有的只是土地、河流、山丘和平原！
當每一個人都有「全人」意識，
瞭解自己是整體存在的一部分，
分歧與對立的線就會瞬間融解，
品德重新回到每一個人的心中，
大自然從人的剝削中恢復完整，
大家也就能享受「放大自己」為「全人」之後，
身為覺者的開闊與無盡豐足！
亞洲第一屆國際全人成長中心年會&世界同心全人成長交流會
二〇一五年十月十七～二十五日
我們在北京原鄉等你回家！

I

附錄

究竟誰是我？誰寫出我？誰比我還瞭解我？
誰在主宰我而且預言我？誰在同步活出我？
複製我並且狎玩我？異化我？改造我？在我不存在的時空虛設我？
當別人寫得更像我，而我開始寫得不像自己的時候，
我該歸屬於誰的風格？我要更換語彙嗎？
如果換了，那還會是我嗎？哪一個才是真實的我？
我難道是一個被虛設的身份，活在近似網路複製的生態中？
當電腦關機，我就隨電源消失？
該怎麼辦？
我正在失語。

廣告字戀後副作用

我似乎正在失去自己。

三十多年來，我從完全不知道如何與自己對話，到開始用畫畫與自己溝通，最後決定以最方便的文字書寫去認識自己……，我花了非常多的時間去瞭解並重新詮釋每個字、每個詞所傳述的物件、事情及感覺。在與別人之間一次次溝通上的誤差與挫敗，讓我不再相信既有的字彙，因為那已是別人以訛傳訛後的結果，而且開始嚴重失真，以至於非常容易誤用、失焦。於是我開始慢慢地建立一套自己的語彙及敘事系統，讓自己可以精確地傳達自己的想法，並運用自己迷戀的辭彙，書寫在每一份檔案上：傳真、上課筆記、日記、書信、電子郵件、廣告文案、存證信函、抽獎資料、客戶資料、觀影後心得、期中報告、教學大綱……。我無法運用既有的文字格式，因為那會讓我中斷成串式的思考。我用自己思考的節奏如實地書寫自己的聲音，而且不願修改。

文字是我的鏡子，我的世界是由字與圖所建構，這也是我不擅與人用口語準確談話的原因，我說的總不是我所想的，老口是心非，所以乾脆用寫來表達。但話說回來，我可以用文字與別人完美地溝通嗎？似乎也不行，因我的文字只能代表那一秒鐘浮游的想法，文字永遠無法全述自己，包括潛意識的部分。所以連我自己在內，無人可以透過文字認識我的全部，但毋庸置疑地，文字是我自己建構存在的最重要機制。

只是，當文字全數出版之後，我眼前的這面鏡子開始複製出成千上萬的影像，不知道是鏡相還是幻覺，所有的人可以透過手中的鏡子折射出部分的我，甚至開始有人複製了神似的語彙，與思考。文字當然有權被複製，思考也可以完全合法地被繁衍，猶如自己二十五歲的文字有著村上春樹的影子，二十六歲的文案可以看到卡爾維諾小說的痕跡，但是當我發現自己熟悉的語言模式開始長出新的感官、新的神經，有了新的名字，開始以我不知道的方向在延伸時，我以頗高的機率在房地產的文字、電影或藝術活動的文宣上，看到近似的文字用法，連說話的語氣都很像……和自己曾經親密的對白，被複製在自己不熟悉的媒介或是文宣品上，我已經弄不清那些到底是不是出自我的筆下，究竟是我失憶了，還是相似的人愈來愈多，我的知己、我的手足、我的雙胞胎、我同母異父或同父異母的兄弟姐妹陸續現身，血親族譜之大讓我不再孤單一人；滿街的維若妮卡，讓我尋覓三十多年的自己找到存在的證據。驚悚的是，當看到有人寫得更像自己時，就像在電影螢幕中看到自己不曾演出的映射，或是從陌生人手中收到自己的名片那樣令我不安。究竟誰是我？誰寫出我？誰比我還瞭解我？誰在主宰我而且預言我？誰在同步活出我？複製我並且狎玩我？異化我？改造我？在我不存在的時空虛設我？當別人寫得更像我，而我開始寫得不像自己的時候，我該歸屬於誰的風格？我要更換語彙嗎？如果換了，那還會是我嗎？哪一個才是真實的我？我難道是一個被虛設的身分，活在近似網路複製的生態中？當電腦關機，我就隨電源消失？該怎麼辦？我正在失語。

對我而言，這麼重要、是我用來獨處的聲音，已經因為大量的回聲而傾聽不到自己。有人說，一個人一生只能寫一部小說，接下來的只是也只能不斷地複製自己而已。

創作經由一連串的繁衍，固定的路徑形成風格，經過再版，變成流行。

然而風格一旦變成流行，獨特性就會因大量的消費而消失，它們怎麼可能共存？換個角度想，如果風格不能流行，那風格該由誰來確立？山本耀司說風格是一種格式，一面鏡子，一種監獄，足以反映自己，模仿自己，耽溺自己。當風格建立，自戀體系也同時完成。然而，何時要掙脫牢獄？需要從自己的保護網中解脫嗎？監獄之囚也是一室之主，自囚與自由租界區只是一念之差而已。

所以山本耀司很篤定地說，他不怕自己被抄襲，就像三宅一生，或許有人偷得了他的觀念，卻沒有像他那樣精確的技術，得以完美地呈現三宅一生的風格，達到他的境界。就像文案，即使複製得了思維，用了相同的辭彙，可是卻無法有相同的敘事方法、相同的腦中影像與陳述邏輯，如同聲音是可以被模仿的，但唇形不行。

為何自己變得如此戒慎恐懼？當時決定出版自己的廣告文案作品，不就是想藉著發表，讓更多人能靜下心來看這些苦思良久，卻稍縱即逝的廣告文案？我需要的是更專心的讀者，而不是心不在焉的消費者，出版不就是為了讓文案存活的時間得以不受廣告昂貴檔期的影響而恆久不滅？如果沒有市場，就連書也不能存活，需要更多讀者這件事情，變成廣告字戀後的副作用，是當初始料未及的。

文案與文學，自出書以來爭論已久。我的廣告文案書，是我不想弄清楚的文案與文學新中間路線，其實沒什麼好去急著定義的。有著廣告血統的彼得・梅爾，他的焦躁找到了文學的出路，我也不過是一個在廣告與文學的夾縫中求生存的文字書寫者：在文案中逐一建立自己的敘事觀點，廣告創作之餘，在紙的背面同步書寫另一種文類，比較黑色悲觀、比較批判反省的那種，我沒有向誰靠近的意圖。

關於以上的矛盾、不安與失眠失序，或許可以像安哲羅普洛斯《永遠的一天》那樣，一個詩人向路人、窮人、孩子買辭彙。與其坐困在複製、失格及自我迷失之中，不如去旅行用旅費收買別人的生活語彙。新的字、新的收集形式，有可能新生新的語文系統，我建議文字創作者的精神療養院應設在市場、漁港、工廠或機場旁邊，面對源源不絕的俚語、粗話及直言不諱的生動，這些情緒性的字眼只需精確而完美地場面調度，原創已足。

這是一種退化？抑或是進化的唯一方式呢？

我也不知道。

ESLITE
55種上癮的文字慾
誠品副作用
作者：李欣頻

Cyberspace
繼續
SINGLE FREEDOM

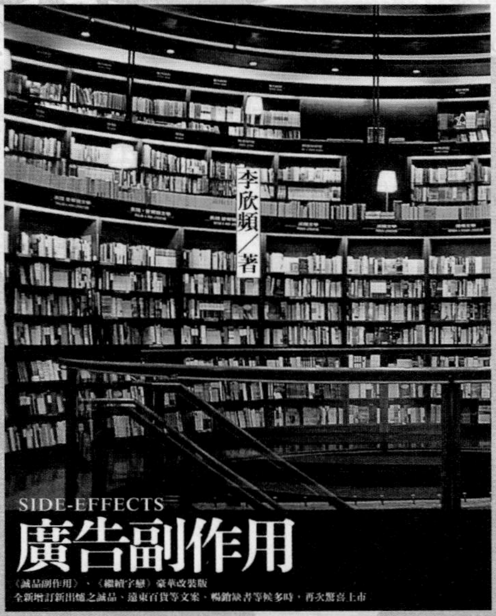
李欣頻／著
SIDE-EFFECTS
廣告副作用
《誠品副作用》、《繼續字戀》豪華改裝版
全新增訂新出爐之誠品、遠東百貨等文案，暢銷缺書等候多時，再次驚喜上市

李欣頻 著
廣告副作用
完整典藏版／商業篇
中興百貨
遠東百貨
誠品商場
宏碁數位藝術中心
台新銀行玫瑰卡
加利利旅行社
統一企業
BAY & TAYLOR Sts

李欣頻 著
廣告副作用
完整典藏版／藝文篇
誠品書店
宏碁數位藝術中心
富邦藝術基金會
臺北藝術節
鶯歌陶瓷博物館
臺北市都市發展局
新聞處

六種有速度感的閱讀經驗

步行

以自己有限的肉身蠶食著無限的大地，把自己放進一種可以控制的速度裡，正在走路的我，最肆無忌憚。

我經常邊走邊吃，邊走邊發簡訊，邊走邊看地圖，邊走邊看漫畫。高木直子的《150cm life》是我走在忠誠路上時看完的，然後以自己的身高，一百五十八公分的視線丈量著眼前的世界，哈比人的行走樂趣，從書中延伸到了我的現實生活。

在異國因路徑不熟，不敢冒生命危險邊走邊看，通常手上拿的是可以斷章取義的《Lonely Planet》，或是大張到可以把自己的慌張遮住的城市地圖，然後把自己融化在美麗的布拉格街橋裡，亦或在喧鬧不睡的紐約曼哈頓中，努力辨識著路名、店名，以滿足一個個好奇心的生生滅滅。

在逛博物館時，手上拿著館藏簡介，就成了不耐聽耳機導覽的我，唯一的救贖：《埃及博物館》成了我在開羅埃及博物館裡，獨自探險的藏寶圖；尼采的《希臘悲劇時代的哲學》，是我在登進雅典衛城博物館前，每一次歇腳時逗點般的閱讀本。

如果手上沒有必須急著找到自己定位的圖與書，那麼美麗的歐洲櫥窗，就是一本本展現誘惑的書，有著品牌、樣式、價目、折扣……，這種隨著欲望流動的閱讀動線，會因為店打烊或是信用卡刷爆而戛然中止。

最有趣的是看人。我喜歡在摩洛哥的街上，讀著彩色長袍下男人女人的秘密；喜歡在希臘聖特里尼島上的小店裡，讀著年輕老闆不可一世的藝術氣息；喜歡在丹麥新港的酒吧裡，讀著年輕情侶的曖昧與心機；喜歡在威尼斯的聖馬可廣場上，讀著露天咖啡座飄來的香味；喜歡在西班牙巴賽隆納的街上，讀著高第發了瘋的夢幻建築線；喜歡在粉櫻的京都裡，以步行的速度，細讀著金閣寺、平安神宮、清水寺的活歷史。

巴士

在巴士上能不能舒適地看書，要看該地的經濟水準而定。比方在西藏的公車上，為了不讓自己在顛簸的路況中身首異處，得用盡全身力氣抓住把手，自然不可能看書；在班次極稀少的肯亞巴士上，怕自己錯過站（在非洲迷路絕對是一種極恐怖的噩夢），得全神貫注地一一核對站名，當然也沒那興致看書；在香港的巴士上，窗外儘是林立的美食甜品店，為了保險起見，胃的停靠站，就交給手上老饕寫的香港美食指南來決定；在美國波士頓直達紐約的巴士上，就需要一本很容易入睡的書，比方常用會話《旅遊英語》，何時睡著了，可是一點罪惡感都不會有的。

如果是在臺北的巴士上，車程超過三十分鐘的，就會選一本易讀的小說來看，比方《在天堂遇見的五個人》，偶爾可以抬頭目視一下窗外的交通進度，但頭腦還是可以繼續在劇情中不會過度分神。

火車

艾倫．迪波頓認為：火車對思考最有利，因為坐火車看到的景色，不像船或飛機那樣單調，速度不會慢得令人生氣，也不至於太快，讓人還可以分辨窗外的事物……思考大的東西需要大的景觀，而新的思想需要新的地方，借著景物的流動，內省與反思比較有可能停駐，不會一下子就溜走了。

在各種不同的移動方式中，我最喜歡火車，因為坐在椅子上就可以周遊列國，亦或許是受到彼得．格林納威《塔斯魯波的手提箱之安特衛普》的電影畫面催化，將候車月臺視為通往各世界的介面，準時發車的火車站即是宇宙之鐘，「現在」即是「現實」的時刻，整個火車站正在進行一場沒有結局的陰謀，擁有一張火車時刻表，和一個想自由的心就可以逃亡。

所有的閱讀，從火車站開始。我們得讀懂密麻繁複的時刻表，決定好要到達的目的地，問對方向與月臺，找到車廂與座位，如此，我們就可以坐在風景與風景之間，好好地看一本書……在趕往開羅的返程夜車上，埃及的夕陽在窗邊逐漸消失，我手上余秋雨的《千年一嘆》，也從衰弱的日光移向了安靜的月光；在西班牙前往達利美術館的火車上，《達利談話錄》成了我提前神往達利的快捷方式；在瑞典斯德哥爾摩往北極圈方向的火車上，我看的是哈尼夫．庫雷西的《全日午夜》，也讓我想起曾看過一部電影，一對熱戀男女在瑞典的火車包廂裡連夜做愛，任由窗外美麗的風景一直飛速地後退，而我，一個人在瑞典火車包廂裡，連頁看著各種偷情的故事，只需在篇章之間，抬頭起來看一下窗外山水的最新進度即可。

最愛的是歐洲之星的豪華頭等艙，從倫敦直奔巴黎，在舒適的座椅上看書，自然有著皇室貴族般的優雅，這個時候，《拜倫抒情詩選》或是《巴黎情人》，就可以讓靈魂在這兩個城市之間先行遊覽數回，一句「眼皮跳動，一一一五年夏日，幸福的預兆……」，就為即將浪漫開展的巴黎之旅，找到一段最美的啟示。

地鐵

地鐵，對於不會開車的我而言，是有限度心想事成的範圍，比方巴黎地鐵圖就是我與法國邂逅的途徑，想在這些路徑之外出軌，是得花計程車費的代價；比方瑞典斯德哥爾摩的地鐵，裡面的壁畫成了世界上最長的藝廊，讓我的驚喜流動在一個現代的洞穴文明之中，不平的壁面成了有景深的街貌，牆上映演著人與城市的風情萬種，等地鐵不再是目光呆滯地與時間消磨，而是一種有趣的感官洗禮，所以在這些有趣的異國地鐵中，是完全沒有拿起一本書來打發無聊時間的想法。

在人塞人的東京地鐵上，能順利擠進時間一到就關門的地鐵中，就已經是很大的福報了，更別說是有一個座位，這也難怪一本《如何在地鐵搶得座位》的書會大賣，因為書上告訴我們，要選在即將到校的學生旁，或是正趕忙補妝的女人身邊，如此就可以馬上有位子可坐，所以這樣的書，可以在等地鐵前的幾分鐘內惡補完畢。

在早上趕往開會或演講的臺北地鐵上，我會帶的是《你是做夢大師》、《夢境地圖》、《解夢百科全書》，趁我還記得昨晚夢境的細節時，為自己解夢，因為我的夢有很強的預言力，我得在今天開始之前，即時解讀出神諭的警告或是未來的指示。

如果是在傍晚等臺北地鐵，我手上拿的會是《探索意識極境》或是《奇蹟課程》，因為我脊椎受過傷，不宜久站，所以除了之前提到的《如何在地鐵搶得座位》外，其他的就得靠神蹟，在尖峰時刻以念力祈求一個座位休息，到目前為止，在地鐵裡心誠則靈的恩典，都是立即見效的。

輪船

船上是最適合看書的，特別是在逛一圈之後，認清沒有豔遇的可能時，就會認命地拿出一本長篇小說出來打發時間，比方《哈利波特》、《達文西密碼》，或是邁克爾·克萊頓的《時間線》，讓自己長時間窩在狹窄的船艙裡，靈魂得以自由穿梭在一場場無邊際的異想世界中，直到入睡。

如果是在挪威蓋倫格峽灣的渡輪上，那麼身為觀光客的我，就捨不得放著窗外的美景不看：小木屋、小教堂、小木船、小港口……都等比例地複製在湖裡，偶爾有一兩筆寫意的白瀑劃過山巒，就足以引來一陣小小的驚喜。當前方有轉彎，船大角度地劃去，強烈的水波擾亂了湖中的倒影，波光粼粼的湖面，變成了一幅弧線與層次交疊的超現實畫作，動感的美令我當場啞口無言；轉彎後瞬間開闊的峽灣山壁綿延，彷彿是上帝大筆揮毫的得意傑作，沒有累贅的線條，只有大面積的色塊震撼……，如此大氣派的山水局勢，就像艾倫·迪波頓引述葛雷《書信集》所說的：「不必多費唇舌，有些景觀可以使無神論者心生敬畏，相信上帝的存在。」於是，在湖上的我們成了臨摹的畫家，所以手上需要的是一本已經寫好詩句的筆記書，隨著船行於水上的速度，把美景繪進書頁裡，或是需要一本風景明信片書，把所有的感動寫在明信片後，下船時一張張撕下來寄給友人情人。

飛機

離開愛人有一千種方法，離開飛機艙，只有六個逃生出口。

我喜歡坐飛機，因為安全帶可以把過動的我捆綁在有編號的座位上，讓一聽到電話、掛號、快遞、按門鈴就躁動的我，有一個與世隔絕，避免激動的讀書環境，沒有人能聯絡上正在三萬英呎高空中的我，我也就死了不甘寂寞的心，無怨無悔地專心看書、寫字、想人生。

我喜歡一個人坐飛機，能和有緣的陌生人比鄰而坐，微笑致意，禮貌優先，因為半生不熟，所以睜眼閉眼，半偷窺半睡覺，醒時保持距離，睡時無意變有意的碰撞，亂流時共患難的關係，讓很多男女主角的愛情故事，不約而同地從坐飛機開始……。如果與鄰座者一見鍾情，那麼就請專心閱讀《我談的那場戀愛》，浪漫宿命主義者艾倫・迪波頓，在書上努力計算出了兩人會在飛機上比鄰而坐的機會是五八四〇・八二分之一，他堅信一定是在三萬英呎高空中，有人動了這場邂逅的手腳。

如果身邊已經有了想託付終生的情人，那麼，手上應該要拿著《愛在大腦深處》、《創造愛的道路》、《不斷幸福論》之類的光明書；如果想與旁邊的怨偶分手，《甩了那個王八蛋》、《完全惡妻殺夫手冊》、《家畜人鴨俘》這些具有恐嚇效力的書名，成了金剛無敵百害不侵的護身符。

如果身邊沒有可以分心的物件，只剩我與書大眼瞪小眼地獨處時（一年出國五、六次的我，在飛機上閱讀的時間，比在書房中還多），我會在飛機上看的書，除了是即將進行的旅程資訊書之外，還會選擇看心靈進化的書：貝內特・戈爾曼以專注智慧解脫八萬四千情緒的《煉心術》，我可以順勢把我的舊靈魂、舊習性沿途留在空中，讓雲帶走。或是在亂流或被劫機時，隨機拿出來惡補的《與無常共處》、《人生的九個學分》、《死前要做的九十九件事》、《二〇一二重生預言》……，以這些書做為在地球上所讀的最後一本書，應該能留下比較安詳的遺容。

KINDERFACH

廣告副作用：藝文篇

作者　李欣頻
總編輯　龐君豪
責任編輯　歐陽瑩
封面設計　郭佳慈、曾美華
排版　菩薩蠻數位文化有限公司

出版　暖暖書屋文化事業股份有限公司
地址　231新北市新店區德正街27巷28號
電話　02—29106069
傳真　02—29129001

總經銷　聯合發行股份有限公司
地址　231新北市新店區寶橋路235巷6弄6號2樓
電話　02—29178022
傳真　02—29158614

印刷　成陽印刷股份有限公司
出版日期　2016年11月（初版一刷）
定價　480元

國家圖書館出版品預行編目(CIP)資料

廣告副作用. 藝文篇 / 李欣頻著. -- 初版. --
新北市：暖暖書屋文化, 2016.11
316面；16.5x23公分. --（李欣頻的廣告四庫全書；1）
ISBN 978-986-91842-8-1（平裝）

1.廣告作品 2.廣告文案

497.9　　104022252